Brieven aan mijn kleinzoon

Salamander

Abel J. Herzberg
Brieven aan mijn kleinzoon

De geschiedenis van een joodse
emigrantenfamilie

Amsterdam

Em. Querido's Uitgeverij B.V.

1978

Eerste tot en met zevende druk, 1964-1965; achtste druk, 1967; negende druk, als Salamander, 1975; tiende druk, 1978.

ISBN 90 214 9362 4

Wat hier volgt, zijn – of liever gezegd waren – brieven, die ik aan mijn achtjarige kleinzoon geschreven heb. Wij hadden afgesproken, dat ik hem over mijn grootvader vertellen zou en over mijn ouders en in het algemeen over de tijd, toen ik jong was. Ik dacht, dat het hem ook zou interesseren uit welk nest ik gekropen ben. Dat heeft mijzelf ook altijd beziggehouden zonder dat ik er ooit in geslaagd ben, daar precies achter te komen.

Al schrijvende gebeurde het nu, dat ik de leeftijd van mijn kleinzoon vergat. Het was alsof ik tot een volwassene sprak. Wat deed het er ook toe? Wat hem nu zou ontgaan, zou hij later wel begrijpen, als hij daar tenminste nog belang in stelde. Ook heb ik van tijd tot tijd helemaal vergeten, dat ik aan het schrijven van een brief was en heb ik eenvoudig genoteerd, wat mijn geheugen mij dicteerde.

Ik heb wat aan de brieven toegevoegd, er wat uitgelaten en er het strikt persoonlijke karakter aan ontnomen. Zo is dit boek ontstaan. De oorspronkelijke brieven blijven het uitsluitend eigendom van de lieve jongen tot wie ze gericht zijn.

Troost voor daklozen komt nooit
in de vorm van huizen
maar uit de mond van zwervers

Judith Herzberg/ *Zeepost*, blz. 24

I

Mijn ouders kwamen uit Rusland, mijn moeder te zamen met haar familie en mijn vader, ongeveer terzelfder tijd, in zijn eentje. Hier in Amsterdam hebben ze elkaar leren kennen en hier zijn ze getrouwd.

Een vetpot was het aanvankelijk beslist niet. Mijn moeder kon daar gezellig over spotten. Ze vertelde, dat er op een dag twee en een halve cent in huis was. Dat was alles, wat ze bezaten. Het was mooi weer en ze wilden wat gaan wandelen. Maar ze wisten niet wat ze met het vierduitstuk moesten doen. Als ze het meenamen konden ze het verliezen en als ze het thuis lieten, kon het door een inbreker worden gestolen. Wat er tenslotte mee gebeurd is, weet ik niet. Ik weet alleen, dat ik na hun wandeling geboren ben. Dat is nu zeventig jaar geleden.

Maar ook mijn verschijning heeft blijkbaar weinig zoden aan de dijk gezet. De gemeentelijke geneeskundige dienst heeft mij tenminste kosteloos ingeënt. Op mijn pokkenbriefje stond: 'onvermogenden' met dikke letters, waarvoor ik mij diep geschaamd heb, toen ik het later op school inleveren moest.

Ik heb in mijn jeugd natuurlijk vaak over Rusland horen spreken. Maar ik kon mij, hoeveel ik er ook over hoorde, er niets onder voorstellen. Ik begreep alleen, dat het heel ver, heel koud en heel vreemd moest zijn. Alles was er anders dan hier. De grote dingen net zo goed als de kleine. De kinderen droegen andere kleren dan wij. Want niet alleen de mode, ook het klimaat was anders. Maar hoe hadden zij er dan uitgezien? Wat ik prettig vond, hadden mijn ouders nooit gekend en de moeilijkheden, die zij hadden meegemaakt, kwamen hier niet voor. Maar hoe was dat dan allemaal? Als ik daarnaar vroeg, kreeg ik een antwoord, dat ik niet begreep en dat alleen maar andere vragen uitlokte. Mijn vader sprak daar weinig over, mijn moeder des te meer. Het meest opvallend daarbij is, dat er dan heimwee klonk in haar stem.

Mijn moeder heeft haar hele leven aan heimwee geleden. Als je het mij vraagt, is ze daar ook aan gestorven. De dokter zal het wel niet met me eens zijn. Ik houd het vol. Een van ons beiden is eigenwijs.

Het is voor iedere jongen van groot belang, of zijn ouders vreemdelingen zijn of niet. Als dat niet zo is, dan kent hij de plek, waar zij geboren zijn. Hij kan daar naar toegaan, als hij er zin in heeft om hem met eigen ogen op te nemen. Hij kan de straat aanwijzen, waar zij als kinderen hebben gewoond. Hij zou aan de bel kunnen trekken van het gebouw, waar ze op school zijn gegaan. Hij weet ook, wat ze hebben geleerd, hij kent de liedjes, die ze hebben gezongen en de spelletjes, die ze hebben gedaan. Want hij leert en speelt en zingt hetzelfde of bijna hetzelfde als zij. De klas, waarin hij zit scheelt niet zoveel van de klas, waarin zij gezeten hebben. De schooljuffrouw is net zo'n juffrouw als zij hebben gehad en zijn vriendjes zijn net zulke vriendjes als de hunne. Maar een kind van vreemdelingen kan niet achterom zien, hij groeit op zonder achtergrond en zijn nieuwsgierigheid daarnaar, die hoe langer hoe groter wordt, wordt hoe langer hoe minder bevredigd. Van zijn grootouders begrijpt hij helemaal niets. Hij weet niet eens, wat ze hebben uitgevoerd voor de kost. Het is al een heleboel, als hij ze kent. De mensen kennen zijn milieu niet en weten daarom niet, wat ze aan hem hebben. De ouders van andere kinderen vragen zich af, of zij met hem om kunnen gaan, en hem op hun verjaarspartijtje kunnen vragen. Zijn omgeving op school en daar buiten krijgt daardoor voor hem iets toevalligs. Zij is geen aanvulling en geen voortzetting van zijn thuis. Voor een deel vormt zij daarmede zelfs een contrast. Alleen op de lange duur, en dan nog met horten en stoten, neemt dat een beetje af. Het verdwijnt pas, als hij volwassen wordt en zijn eigen, onafhankelijke weg inslaat. Maar ook dan doet de herinnering zich gelden.

Het belangrijkste in de verhalen van mijn ouders was, dat zij joden waren. Dat kwam altijd weer terug. Het stond op de voorgrond. Het wilde zeggen, dat zij niet alleen vreemdelingen waren, maar ook in het land van hun herkomst nooit iets anders dan vreemdelingen waren geweest. Zij kwamen wel uit Rusland, maar zij waren, hoewel hun families daar eeuwen hadden gewoond, geen Russen en waren daar ook nooit als zodanig erkend. En omdat zij dat niet waren, waren zij daaruit vertrokken. Misschien waren zij wel niet direct verjaagd, maar vrijwillig was hun vertrek allerminst geweest. Zij konden in het land hunner geboorte niet leven, en dat was het, waar alles om draaide. Zij hadden niet kunnen wonen, waar zij wilden, niet reizen, waarheen zij wilden. Zij hadden ook niet kunnen worden, wat zij wilden. Zij konden, als je het goed beschouwde, eigenlijk helemaal niets worden en zij wisten ook niet, hoe zij hun brood hadden moeten verdienen. Zij konden zelfs niet vrij omgaan met hun buren, de andere mensen, die dan wel Russen en geen joden waren. Onderling spraken zij hun eigen taal, die die anderen niet verstonden. Zij hadden hun eigen godsdienst en lazen hun eigen kranten, die in Hebreeuwse letters gedrukt waren, waar de anderen naar keken, zoals wij naar Chinees. Zij lazen andere boeken, zij aten andere dingen dan die anderen, zij hielden de zondag niet, maar de sabbat, zij hadden hun eigen feestdagen en gingen niet naar de kerk, maar naar de 'sjoel', waar het totaal anders toeging. Wat voor anderen heilig was, daar geloofden zij niet in, ze bogen er niet voor, ze begrepen niet eens, dat iemand dat wel doen kon. En wat zij vereerden boven alles wat er in de wereld bestond, dat werd door de anderen veracht. Ze hielden eraan vast, zoals ze in hun gebeden zeiden: 'met heel hun hart, met heel hun ziel en met heel hun vermogen'. Maar voor de anderen betekende dat niets. Kortom ze waren een eigen 'volk'.

Ze werden om dat alles uitgelachen, bespot, nagejouwd op straat, gehaat en soms vervolgd. Het kwam voor, dat troepen arbeiders en boeren, na eerst dronken te zijn gevoerd, de wijken en straten, waar de joden woonden, overvielen, de winkels en de huizen binnendrongen, stalen wat er van hun gading was, de rest in stukken hakten en ook wel een aantal joodse mannen, vrouwen en kinderen doodsloegen. Daar was het dan weer, het beruchte 'pogrom'. De politie kwam soms tussenbeide, maar gewoonlijk deed ze net of ze niets zag en kwam pas opdagen, als alles afgelopen was. Soms ook greep ze pas in, als de commissaris naar zijn zin voldoende door de joden was omgekocht. En toch had mijn moeder heimwee.

Vooral tegen Pasen, als het lente werd, als de kruisiging en de opstanding van Christus werden herdacht, namen de spanningen toe. Diens dood werd (en wordt nog wel) aan de joden toegeschreven. Mijn vader heeft mij eens het verhaal van een Russische boer verteld, die gewapend met een bijl, woedend op de joden losging, omdat ze, naar hij schreeuwde 'Christus hadden vermoord'. Toen iemand hem staande hield en zei: 'Maar dat is al tweeduizend jaar geleden,' antwoordde hij, 'dat kan me niet schelen, ik heb het gisteren pas gehoord.'

Ook kwam in de paastijd telkens weer het verhaal op, dat de joden christenbloed gebruikten voor de bereiding van matzes. Je hebt ze bij ons wel eens gegeten. Daar hebben telkens weer mannen voor terechtgestaan (trouwens ook buiten Rusland). Het liep soms wel met een vrijspraak af, maar ook dan waren de opwinding en de onrust gewekt. Later zul je leren begrijpen, waar dat alles vandaan komt, als men zo iets tenminste ooit helemaal begrijpen kan.

Meermalen heb je bij ons de seideravond meegemaakt. Ik geloof, dat je je daarbij knapjes verveeld hebt en kan je dat niet eens kwalijk nemen. Het is de vooravond van het joodse paasfeest. Wij maken er maar wat van. Bij vrome joden, zoals mijn grootouders waren, wordt die avond veel uitvoeriger, met veel meer ernst en met veel meer vreugde gevierd, dan bij ons. Zo was het ook nog bij mijn ouders. Het is gewoon niet met elkaar te vergelijken. Lieve hemel, wat zou je je daarbij hebben verveeld!

Op de seideravond wordt de uittocht van de joden uit Egypte herdacht. Dat is de gebeurtenis, die aan het begin staat van de joodse geschiedenis. Alleen als deze iets voor je betekent, kan die avond boeiend zijn. Anders is hij alleen maar een merkwaardigheid, waar je naar kijkt, maar verder niets mee te maken hebt.

Als je ermee bent opgevoed, blijft die avond

in je herinnering hangen, als alles wat intiem, hartelijk en huiselijk is. Buiten in de wijde wereld kan er gebeuren, wat je maar uitdenken kunt, binnen aan de seidertafel ben je thuis en veilig.

Mijn moeder haalde, als we zo aan tafel zaten, telkens weer een oude geschiedenis op: Hoe ze eens, toen ze een klein meisje was, de seideravond hebben gevierd in een kelder van hun huis, met gesloten bovenluiken, terwijl boven hun hoofd het pogrom in volle gang was. Natuurlijk waren ze bang, de volwassenen net zo goed als de kinderen. Maar er was geen ander toevluchtsoord, dan onder de vleugelen van de seider. Men was bij elkaar, men kroop bij elkaar. Eliah, de profeet Eliah, die elke seideravond bij ieder joods gezin te gast komt, zou helpen. Je hoefde er niet eens om te bidden. De eerste nacht van het paasfeest is de 'nacht der bewakingen'. Alle andere avonden van het jaar zei je vóór je ging slapen: 'Hij zal niet sluimeren en niet slapen, de Behoeder van Israël.' Je zei het zelfs drie keer. Nu was dat niet nodig. Ook zonder dat je dit zei, zou het zo zijn. De engel Michaël zou aan je rechterkant staan, de engel Gabriël aan je linker, van voren zou Uriël je beschermen en van achteren Rafaël en boven je hoofd zweefde de stralenkrans van God.

Dat wist je. Het was alleen jammer, dat de moezjieks (boeren) dat niet wisten, die boven je hoofd aan het plunderen waren.

Het gezicht van mijn moeder straalde, als ze daarover vertelde. Zo herinner ik mij haar het liefst. Wij luisterden en onze harten klopten. Het was dan net, of ze het over prettige dagen had en niet over dingen, die je liever niet meemaakt: Ik denk, dat het er voor haar niet zo erg veel toedeed, of dat, waaraan ze terugdacht, plezierig of verdrietig was. Wat voor haar telde, was, dat de hele familie toen bij elkaar was, dat er vrienden en kennissen waren, die allen hetzelfde beleefden en daarom echt bij elkander behoorden. De hele sfeer van het joodse stadje, de saamhorigheid der mensen, de wederkerigheid in hun genegenheden leefden voor haar op. De druk van buiten was zwaar. De eenheid van binnen was hecht. Er ontwikkelde zich een tegenkracht, die wel niets uitrichten kon, en toch was als de warmte van de kachel. Hij verdreef de winter niet, maar maakte het behaaglijk in de kamer. Hier echter is ze altijd eenzaam gebleven. Zo ging haar heimwee uit naar het land van haar jeugd.

Die jeugd ligt al bijna honderd jaar terug en dat is een hele tijd. Er is intussen veel in de wereld veranderd en verbeterd. Wij kunnen ons het leven bij voorbeeld helemaal niet voorstellen zonder waterleiding. We draaien eenvoudig de kraan open en krijgen dan net zoveel water, als we hebben willen. Maar in het dorp, waar mijn moeder woonde, was daar geen denken aan. Ik weet niet eens, of het er tegenwoordig al anders is. In ieder geval haalden de vrouwen destijds het water, dat ze nodig hadden om te koken en te wassen, met een emmer uit een gemeenschappelijke put, waar een houten deksel overheen lag. Denk je nu eens in, dat er een keer op de eerste dag van het joodse paasfeest een stuk brood op dat deksel gevonden werd! De pope, die vreselijk het land aan de joden had, had het er neergelegd. De 'pope' is de geestelijke van de Grieks-katholieken. Je weet misschien, dat de meeste Russen die godsdienst hadden.

Waarom deed hij dat? Dat vraag je, omdat je er geen idee van hebt, wat er voor de vrome joden (en vroom waren ze toen allemaal) aan Pasen vastzit. Hij wist het maar al te goed en was er op uit, hen een flinke loer te draaien. Hij zal zich wel hebben verkneukeld in het succes, dat hij met die streek heeft gehad. De joden mogen immers acht dagen lang niet alleen geen brood eten, maar ze mogen het ook niet in huis hebben. Want brood is gedesemd, dat wil zeggen, dat het deeg, waarvan het gebakken wordt, door toevoeging van gist of desem, is gerezen. De joden moeten er zelfs voor zorgen, dat zich gedurende de Pasen geen kruimel ander voedsel en geen druppel drank, die op de een of andere manier met een giststof in aanraking gekomen kunnen zijn, in hun woning bevinden. Dat geldt voor suiker, voor zout, voor alle specerijen, voor boter, voor koffie, thee enz. enz. Dat alles mag alleen worden gebruikt als het volgens verklaring van het rabbinaat *kosjer al pesach* is, dat wil zeggen geschikt voor gebruik op Pasen. Op de bereiding en de verpakking is door ambtenaren van het rabbinaat toegezien. Ik heb een jood gekend, die daags voor Pasen de puntjes afknipte van de sigaren, die hij in huis had, omdat het niet uitgesloten was, dat zij met stijfsel waren dichtgeplakt. En stijfsel is niet *kosjer al pesach* of, zoals dat heet: *chometz.*

Geen restje, zelfs geen zweem daarvan, is in een vroom joods huis in die dagen toegelaten. Daarom eten de joden op Pasen van andere borden, koken in andere pannen, drinken uit andere kopjes dan in de rest van het jaar. Met glazen is het iets anders. Want die kunnen geen barsten vertonen, waarin etensresten kunnen doordringen. Maar gewoon schoonmaken van die glazen is niet genoeg. Ze moeten drie dagen in het water liggen, voordat men aanneemt, dat de laatste sporen van chometz daarvan zijn geweken. En wat het tafelzilver betreft, ik heb elk jaar opnieuw gezien, hoe mijn grootmoeder en moeder de lepels en vorken aan een lang touw aaneenregen en dan het hele snoer driemaal door kokend water trokken. Messen werden, evenals het andere dagelijks vaatwerk gedurende de Pasen naar een hoek van de zolder verbannen. Want tussen handvat en lemmet kon zich allerlei verzameld hebben, dat niet volkomen vrij van chometz was, al bestond dat alleen maar uit een microscopisch kleine hoeveelheid.

Je begrijpt wel, dat Pasen voor de joodse huisvrouw en eigenlijk voor het hele gezin een karwei betekende van belang. Het begon al een paar weken van tevoren. Denk alleen niet, dat daartegen werd opgezien. Juist met het allergrootste plezier werd al die arbeid verricht, ja, hoe drukker men zich maken kon en hoe meer men afdalen kon tot de geringste futiliteiten, hoe liever men dat had. Pasen begint op de 15de van de joodse maand nissan. Maar vanaf de eerste nissan, zo zei men onder de joden, 'stijgt de vreugde'.

Wij begrijpen dat allemaal niet meer en jij, denk ik, zult er wel heel vreemd tegenaan kijken. Maar zij hadden helemaal geen andere levensvulling. Wat het precies te betekenen had, vroegen zij zich niet af. Het was door God geboden, en te doen wat Hij geboden had, was geen plicht, maar een voorrecht. Het gaf kleur aan hun bestaan, en zij waren daar gelukkig mee.

Maar de pope, die niets van de joden en al hun raar gedoe moest hebben, zou hun het plezier wel vergallen. Dat stuk boerenbrood op de deksel van de put, was genoeg om alles, wat ze voor de Pasen klaar hadden gemaakt om hem volgens alle voorschriften en gebruiken te vieren, met één klap onbruikbaar te maken. Want het water was chometz geworden. Het kon zelfs zijn, dat er een paar kruimels brood in waren gevallen. Het was dus als het ware 'besmet'. Er kon niet meer mee worden gekookt, de vaat en de pannen konden er niet mee worden gewassen. Het achtdaagse 'feest' was volkomen verstoord en bijna tot een vastendag geworden. Alle joden in het dorp waren gedwongen de hele Pasen alleen maar droge matses te eten. Al wat er verder te eten was, de vis, die – hoge uitzondering in het hele jaar – niet gevuld mocht zijn, het vlees, de kip, de gehakte kippelevertjes en het uitgesmolten vloeiende kippevet, de stapels dampende geurige matseballen, de wekenlang in een aparte ton in water getrokken bieten voor de rode soep, de geraspte mierik, de in plakken gesneden wortels, die voor *zimmes* moesten dienen (wat is zimmes? Zimmes is heerlijk) dat alles moest op hoog bevel van de rabbijn worden weggegooid. Het mocht niet worden weggegeven, de honden mochten het zelfs niet vreten, het was *chometz* en *treife,* zoals het aas van een verscheurd dier.

Mijn lieve moeder zuchtte nog, als ze aan deze ramp terugdacht. Hoe lang hadden ze niet voor al het heerlijke eten gespaard! Hoeveel moeite hadden ze er niet aan besteed om het klaar te maken! Allemaal in dienst van God. Maar ook het eten zelf was dienst aan God. Natuurlijk smaakte het lekker. Iets te proeven, wat lekker was, stond gelijk met de ervaring van Gods oneindige goedheid. Hoe goed had God het niet met Zijn mensenkinderen voor, als Hij hen de smaak geschonken had, die hen in staat stelde van het eten te genieten! Hoe moesten zij

Hem daarvoor niet danken! Nu kon dat niet.

En omdat zij Hem niet danken konden voor het eten, dat Hij hen gegeven had, dankten zij Hem voor het verbod om van het ongeoorloofde te eten. Hij had hen behoed voor de zonde, om dat toch te doen. Werden zij niet door het één een 'heilig' volk, dan door het ander. Daar kon de pope niets aan doen. Hij kon de matseballen bederven maar hen niet.

Mijn moeder heeft mij dit alles niet zo verteld, als ik het beschreven heb, maar veel korter. Want wij wisten veel, waar jij nog nooit van gehoord hebt.

Het hele jaar had zijn eigen ritme van feestdag naar feestdag en van vastendag naar vastendag. De treurdagen waren ver in de meerderheid. Elke dag bracht zijn eigen riten en symbolen met zich mee. Maar het ritme was niet dat van de enkeling, het was dat van de gemeenschap. Ze leefde afgesloten van de rest van de wereld, eigenlijk in een getto, maar ze leefde een heel eigen leven, dat nergens te herhalen, en, voor wie het had medegeleefd, ook niet te vervangen was.

Hoe zou men daar geen heimwee naar hebben?

Mijn moeder was een eenzame vrouw. Zij had haar gezin, maar alles daarbuiten bleef vreemd, en al te vaak voelde zij dat zelfs als vijandig. Ze kon er in ieder geval geen contact mee krijgen en dat maakte haar verlegen. Je kunt blijkbaar niet iedereen zo maar overplanten. Moeder heeft hier niet kunnen aarden.

Ze is gestorven in een ziekenhuis de dag na haar verjaardag die we nog samen bij haar thuis hadden gevierd. Het kwam geheel onverwacht. De zuster vertelde, dat ze het hoofd opzij had gelegd en was ingeslapen.

Toen wij de kamer in kwamen, was mijn vader er nog niet. Wij waren heel stil, als wilden wij haar niet wekken. Zij lag er zo vredig te slapen. Hij kwam binnen en wist zich geen houding te geven. Ik zag hem aarzelen. Ten slotte knielde hij naast haar bed en kuste haar dode hand. Dat was het afscheid.

II

Mijn vader was een zwijgzaam man. Als ik hem in mijn herinnering terugroep, dan zijn het niet gesprekken, die ik met hem gevoerd heb, welke mij het eerst te binnen schieten, en ook niet wandelingen, die wij samen hebben gemaakt, maar dan zie ik hem allereerst in een gezelschap zitten, een beetje terzijde, zonder zich in enig gesprek te mengen, zonder zelfs een woord te spreken. Hij luistert niet eens, lijkt mij, naar wat anderen zeggen. Afgesloten, in zich zelf verdiept, de wenkbrauwen licht samengetrokken, de blik uit zijn grote donkere ogen naar binnen gekeerd, zit hij daar, onbeweeglijk, blijkbaar verzonken in een leven, waar niemand in doordringen kan, en trouwens niemand in zou worden toegelaten. Waaraan denkt hij? Waarover droomt hij? Een enkele keer gaat er een lichte huivering door hem heen of hoor je hem in zich zelf in het Jiddisch mompelen: 'Nit kedai, nit kedai', hetgeen zo iets zeggen wil als: 'niet de moeite waard'. Dat heeft geen betrekking op de aanwezigen, want hij ziet hen nauwelijks, hij weet helemaal niet, wat er tussen hen gaande is. Hij is afwezig. 'Niet de moeite waard' zijn kennelijk de gedachten, die in hem opkomen, of de ervaringen, wier herinnering hem vervult. Het is duidelijk, dat hij over het een of ander voorval teleurgesteld is, misschien wel over zijn hele leven. Hij heeft in elk geval geen deel aan zijn omgeving. Zij merkt dat en vindt hem vervelend, of ergert zich aan hem.

Ik niet. Ik wil niet zeggen, dat ik hem begrijp. Maar ik ben al van kind af aan aan hem gewend. Ook als wij aan tafel zitten met hem aan het hoofd, zoals hem toekomt, is het in ons gevoel, of hij een tikje alleen is. Het deert me niet, ik heb er integendeel vrede mee. Ik weet, dat hij van mij houdt tot in het overdrevene en sentimentele toe. Dat neem ik hem natuurlijk wel een beetje kwalijk, en ik word er korzelig onder. Hij kent geen strengheid, alleen toegevendheid. Hij wijst mij geen richting en geen weg, niet omdat hij dat niet wil, maar omdat hij zelf niet weet, welke kant hij uit moet. Als hij of ik in later jaren op reis was, en hij mij brieven schreef, ondertekende hij altijd met de woorden: 'je vader en vriend'. Ik kon dat niet verdragen, ik denk om de opdringerigheid, die daarin zat. Hij meende het zo goed, maar moest het er bij zeggen. Hij was hij altijd bang, dat hij te kort schoot. Ja, hij was een erg zwijgzame man. Op een keer ben ik met hem naar Arnhem gereisd. Wat we daar te doen hadden, staat me maar heel vaag voor de geest. Het doet er ook niet toe. We waren een hele dag samen. In de trein heen en terug zaten we tegenover elkaar. Hij keek voortdurend naar buiten, maar ik geloof niet, dat hij in zich opnam, wat hij er zag. Die hele dag hebben we geen woord met elkaar gesproken. En nu, zoveel jaren later, ben ik nog dankbaar voor de vertrouwelijkheid, die er die dag tussen ons heeft bestaan. Met mijn vader kon je zwijgen als met geen ander.

Maar, zoals dat wel meer gaat met zwijgzame mensen, als hij begon te praten, had hij zijn eigen taal. Hij sprak in 'witze', hij speelde met aanhalingen uit de thora of uit de gebeden; hij sprak ook graag in gelijkenissen. Dat is van oudsher een joodse manier van spreken. Onder de Russische joden werd zij met graagte beoefend.

Wat een *witz* is, weet iedereen, maar kan niemand definiëren. Een witz is heel iets anders dan een mop of een grap. Hij behoort tot de humor, maar hoe, dat is moeilijk te zeggen. Een witz wordt in elk geval niet verteld, hij wordt 'gemaakt'. Een witz is pas een witz, als hij te pas gebracht wordt in de loop van een gesprek en daarin ook past. Haal je hem daar uit en vertel je hem 'op zich zelf', dan verliest hij zijn functie. En juist om die functie is het te doen. Hij wil iets verduidelijken of wil appelleren aan een gemeenschappelijk gevoel of herinneren aan een gemeenschappelijke ervaring. De witz leeft alleen in een gemeenschappelijke sfeer. Hij is eenmalig, net als een vers. Hij kan wel geciteerd worden, maar niet herhaald.

Mijn vader was in zijn latere jaren makelaar in ruwe diamant. Als hij een partijtje te koop aanbood, en de koper naar zijn smaak al te veel begon te calculeren over de lonen van de bewerking, het percentage van de afval, de kansen van de markt en dergelijke factoren meer, ging het erom, de man over het dode punt heen te helpen. Dat geschiedde aldus:

Wanneer je een choossen (bruidegom), die onder de chuppe (trouwhemel) staat een stuk papier en potlood in handen geeft, om uit te rekenen, wat hem allemaal gebeuren kan, als hij gaat trouwen, loopt hij zo vanonder de chuppe weg.

Zijn klant lachte en kocht.

Als iemand in betalingsmoeilijkheden verkeerde en niet bekennen wilde, dat hij in werkelijkheid 'pleite' (failliet) was, dan citeerde hij de laatste zin van Daniël, die aan het eind van iedere joodse begrafenis tot de dode gezegd wordt: 'Maar gij, ga heen tot het einde en rust en berust in uw lot tot het einde der dagen.' Dan vroeg hij: 'Waarom zegt men dit? Antwoord: Omdat de dode anders niet gelooft, dat hij dood is.'

Als iemand er over klaagde, dat er een wissel voorkwam en niet wist, hoe hij deze betalen moest, was het een zin uit het ochtendgebed, waarmede hij hem zijn situatie illustreerde. 'Wij *dawwenen*' (bidden), zei hij: Behoed mij vandaag en alle dagen voor den *azezponem* (bruut). Nu, dat ik bid: behoed mij *vandaag* voor den azezponem, begrijp ik. Maar waarom moet ik zeggen: Behoed mij *alle dagen* voor hem? Dat is overbodig. Morgen immers bid ik opnieuw. Het antwoord is: de azezponem komt vóór het daw-wenen.'

De troost is schraal, maar de glimlach is ook iets waard.

Het was een vreemde manier van betogen. Iemand wist niet, wat hij in een bepaald geval moest doen. Prompt kwam het verhaal van twee arme talmudjongens, die hongerig op een bruiloft kwamen, te eten kregen en naast elkaar op een van die brede ovens, die men in Rusland voor de verwarming gebruikte, gingen slapen. De een lag natuurlijk aan de muur, de andere aan de kant. De bruiloftsgasten waren een rondedans aan het uitvoeren en een van hen, een beetje overmoedig door de drank, gaf de jongen, die aan de kant lag, in het voorbijgaan telkens een flinke klap op de billen. Dat begon die jongen te vervelen, zodat hij tegen zijn vriend zei: jij hebt nu zo lang aan de lekkere warme kant bij de muur gelegen, laten we wisselen van plaats. Hetgeen gebeurde. Maar de bruiloftsgast, die dat niet gemerkt had, dacht bij zich zelf: ik heb nu die vent, die aan de kant ligt, een paar maal op z'n billen geslagen, nu krijgt die ander een flinke pats. Eerlijk is eerlijk.

Waaruit zonneklaar blijkt, dat het er niets toe doet, wat men besluit. *Wie man sich legt, legt man sich falsch*.

Mijn vader moest een keer, aan tafel genodigd bij een zeer vermogend, maar zeer bescheiden man, een speech op hem houden. Hoe doet een Litouwse jood zo iets? Door aan te halen, hoe God aan de profeet Eliah voorbijging. Er kwam een storm 'scheurende bergen en brekende rotsen', maar de Heer was niet in deze storm. Na de storm kwam de aardbeving, maar de Heer was niet in de aardbeving. Na de aardbeving een vuur. En de Heer was niet in het vuur. Na het vuur het suizen van een zachte stilte. En daarin was God.

Hij was geen orthodox, maar een gelovig man. Hij geloofde met volmaakte trouw aan het bestaan van God en aan Diens Eenheid. Hij geloofde aan de Openbaring op de Sinaï. En hij geloofde aan de kracht van het gebed.

Ik heb hem bij het einde van Jom Kippoer (Grote Verzoendag) in oktober 1940 afgehaald van sjoel. Het was de laatste Jom Kippoer, die hij mee zou maken. Vermoeid kwam hij naar buiten en vroeg: 'En, wat is het nieuws?'

Ik wist direct, wat hij bedoelde. Hij had een hele dag gebeden om de ondergang van Hitler en was er vast van overtuigd, dat hij deze door de kracht van zijn gebed bewerkt had. Ik zei: 'Zonder bommenwerpers gaat het niet.' Hij zweeg, maar ik hoorde hem denken: 'Zonder gebed evenmin.'

Als iemand hem in zijn laatste levensjaren tegenkwam en hem vroeg: 'Hoe gaat het?', dan antwoordde hij: 'Vertel het niet verder: ik ben dood, alleen de Heilige, geloofd zij Hij, weet het nog niet.'

Wij hebben eens aan tafel gezeten, toen er gebeld werd en er een man kwam vragen, of hij een kaartje kon krijgen naar Antwerpen. Ik weet van die avond nog alles. Ik weet, wat we gegeten hebben en als het er toe deed, zou ik het je vertellen. Ik weet, hoe de lamp gebrand heeft en het licht in de gang kapot was, zodat ik het gezicht van de man niet kon zien. Ik weet, dat mijn moeder woedend werd, toen zij hoorde, wie er was en dat zij hem de deur wou wijzen. Want ze had zijn zuster, een heel arm meisje, uitgehuwelijkt, voor haar uitzet en inrichting van haar woning gezorgd en ook de bruidegom werk verschaft. Maar in sjoel, dadelijk na de voltrekking van het huwelijk, was die broer op haar toe gekomen en had haar openlijk uitgescholden voor alles wat maar lelijk was, zodat iedereen het horen kon. Dat was geen wonder, zei mijn moeder, want hij droeg een medaillon op zijn jas met het portret van Karl Marx. Die man woonde in Antwerpen, had de reiskosten niet om naar huis terug te gaan, en kwam nu, alsof er niets gebeurd was, vragen, of mijn vader hem die geven wilde.

Mijn vader stond op, liet de man binnenkomen en gaf hem, wat hij verlangde. En toen de man weg was, zei hij tegen mij: 'Als die man, die ons beledigd heeft, bij ons moet aankloppen om hulp, dan is hij door God gestraft. En dat is genoeg.'

Als mijn vader in zijn leven nooit iets anders

gezegd had, was dit voor mijn opvoeding voldoende geweest. Ik was toen niet veel ouder dan jij nu bent en heb dit altijd in mij rondgedragen. Pas na lange jaren begreep ik waarom. Het is een kenmerkende joodse gedachte, die wel doet denken aan de leerstelling: 'Heb uw vijanden lief,' maar toch een heel andere strekking heeft. Want hier gaat het niet om de houding jegens de vijand, maar om de eerbiediging van de tegen hem uitgesproken straf. Hij is verslagen. Komt hij bij zijn vroegere vijand om hulp, dan mag je die niet weigeren, omdat dit in strijd zou zijn met de goddelijke gerechtigheid.

De situatie van die avond herhaalt zich voortdurend. Denk maar eens aan de nazi's na de tweede wereldoorlog. Ze hebben vaak aan joodse deuren geklopt om hulp.

Op een mooie zaterdagmiddag in augustus 1945 zaten wij op een terras van een villa van een joodse familie. De villa was in de oorlog als joods bezit in handen van een bekend N S B'er overgegaan, die daar ook gewoond had, maar nu in een kamp gevangen zat. Zijn vrouw was ziek en de dokter had haar het eten van groene pruimen aanbevolen. Daar zij wist, dat deze in de boomgaard van de villa groeiden en rijp moesten zijn, zond zij een meisje met het verzoek haar een mandje van die pruimen mee te geven. Zoiets heet chotspe (brutaliteit). De verontwaardiging erover was dan ook algemeen. Het meisje werd weggezonden.

Maar mijn vader zou hebben gezegd: 'Stel je eens voor, dat we in de bittere uren van de oorlog erover waren gaan fantaseren, hoe we ons na de bevrijding zouden gaan wreken. De één had een bijltjesdag voorgesteld en de ander een andere, nog wredere wraak. Maar het meeste succes zou iemand gehad hebben, die precies dat had voorgesteld, wat we thans meemaken. Het is vrede. Wij zitten te zamen in de zon, de vijand zit achter slot en grendel, zijn vrouw is ziek en komt bij ons aankloppen om hulp. Waarom geven we die niet? Waarom wreken we ons niet? Geef de beste pruimen, die je vinden kunt.'

En wie weet, of mijn vader niet gelijk zou hebben gehad? Want de wraak moet zoet zijn en niet bitter. Dat is geen 'liefde'. Het is heel iets anders. Het is de overtuiging, dat er een hemelse gerechtigheid bestaat; die je de vrije loop moet laten.

Er is wat wijsheid toe nodig. Maar wijsheid is krachtiger dan liefde, zij is bestendiger van karakter en haar uitwerking is ook sterker. Tenminste op de lange duur.

Zo was mijn vader. Maar hij was geen enkeling, eerder een tijdgenoot. Zo, in een oneindig aantal variaties en nuances, waren de joden uit Litouwen en de gebieden daaromheen. Met chassidisme, waarover ik later wel vertellen zal, had dit niets te maken. In zekere zin was het daarvan zelfs het tegendeel.

Mijn vader is geboren in een klein dorp, nog kleiner, nog onaanzienlijker, nog verder afgelegen dan het dorp van mijn moeder, dat aan een brede rivier lag, met aan de overkant een, voor de begrippen van die tijd, grote stad. Je kon er met een bootje naar toe. Bovendien was het dorp van mijn vader geen joods dorp, dat wil zeggen er woonden wel een paar joodse families, maar zij vormden een kleine minderheid van de bevolking. Zij waren ook te weinig in aantal om eigen instellingen, zoals een sjoel, een school voor de kinderen, of een begraafplaats te kunnen onderhouden. Voor dat alles waren zij aangewezen op dorpen of stadjes in de buurt.

Stel je die buurt echter niet op z'n Hollands voor. Als je naar het meest nabijgelegen dorp wilde, had je daar altijd nog een paar uur voor nodig, als je tenminste de beschikking had over een slee in de winter, een paard en wagen in de zomer en als de weg door regen of modder niet al te slecht geworden was. Maar je moest je de moeite van de reis wel getroosten, wanneer je hart behoefte had aan een van die talrijke verkwikkingen, die het joodse leven te bieden heeft. Een mens wil bijvoorbeeld op de hoge feestdagen 'in gemeenschap' bidden. Dan kan hij niet buiten een 'minjan', die groep van tenminste tien mannen, die de kleinste sectie vormt in het leger der vromen. Hij kan er al daarom niet buiten, omdat het 'gebed in gemeenschap' pas de ware kracht bezit en bovendien, omdat het waarlijk zo eenvoudig niet is, om in je eentje te weten welke gebeden er precies moeten worden gezegd, in welke volgorde dat moet gebeuren en waar je ze vinden kunt. En op de preciesheid komt het in hoge mate aan. Verbeeld je, dat er door de een of andere jood in de wereld iets overgeslagen wordt! De hemel alleen maakt uit, welke gevolgen dat hebben zal.

Ook kun je niet buiten de voorlezing uit de thora (dat zijn de vijf boeken van Mozes), waartoe je opgeroepen wordt. Als je dat grote voorrecht al niet iedere week of om de paar weken deelachtig kunt worden (want iedere sabbat wordt er in sjoel een afdeling uit de thora voorgelezen), dan mag je dat toch zeker één keer per jaar niet missen. Het geeft je gelegenheid een zegenspreuk over de thora uit te spreken en God te danken voor het onuitputtelijk rijke geschenk, dat hij aan zijn volk Israël gegeven heeft.

En wat moet een jood uit een niet-joods dorp doen, als hij een rabbijn nodig heeft, omdat een van zijn kinderen gaat trouwen? En wanneer er een uit zijn familie gestorven is, waar moet hij dan naar toe om zijn dode te laten begraven? In het dorp van mijn vader hadden ze alleen een kist. Dat was het enige, dat aan de paar families, die daar woonden, gezamenlijk toebehoorde. Mijn grootvader had hem aangeschaft en aan hun kleine gemeenschap cadeau gedaan, toen zijn vrouw overleden was. Daar ging hij niet weinig prat op.

De dode werd daarin gelegd en naar Skudi (of Skud) gebracht. Zo heette dat naburige dorp. In doodskleren en gewikkeld in de gebedsmantel, die tallis heet, werd de dode in de grond gelegd, en de kist kwam terug voor de volgende kandidaat.

Skudi was niet veel meer dan een armzalige verzameling van oude bouwvallige houten huisjes, schots en scheef tegen elkaar gezet in een paar ongeplaveide straten; ze zagen eruit, of ze erop stonden te wachten, dat de een of andere schobbejak ze in brand zou steken en daarmee hun bewoners tot dakloze bedelaars zou maken. Dat zal in de Tweede Wereldoorlog ook wel gebeurd zijn, als ze tenminste de eerste hebben overleefd. Desondanks was het voor mijn grootvader bijna zo iets als Jeruzalem voor de akkerbouwers uit het oude Judea. Want er woonden zowat drieduizend joden en die maakten nagenoeg de hele bevolking uit.

Dat is niet veel, maar het is voldoende om te voldoen aan alle eisen, die een jood van het platteland maar kan stellen. Er is een sjoel, die tevens de functie vervult van vergaderlokaal en sociëteit. Men praat er met elkaar over de politiek, voor zover men daarmee te maken heeft en voor zover de geruchten uit de wereld daarheen doordringen. Men zegt er kaddisj voor de doden op de jaarlijkse herdenking van hun sterfdag. Men laat daarna een flesje wodka komen, drinkt er een borrel en roept: 'lechaïm', dat wil zeggen 'op het leven'. (In het Hollands is dat verbasterd tot 'daar ga je'). Men stort zijn hart een beetje jegens elkander uit en men heeft daarbij gewoonlijk een heleboel te vertellen. Maar men begrijpt elkander met weinig woorden. Velen zijn er arm, rijk is er niemand, het leven is er zwaar voor iedereen. Wat wil je? Het volk Israël is in ballingschap en de Maschiach (de gezalfde), die hen terug zal voeren naar hun oude glorie, zoals hen is verteld en zoals zij zichzelf en elkander over en weer vele malen in hun gebeden beloven, laat op zich wachten. Maar er is tenminste menselijke warmte in Skudi en in het niet-joodse dorp Prekulln, waar mijn grootvader woonde en mijn vader vandaan komt, bestaat dit niet. Misschien heeft mijn vader daarom, anders dan mijn moeder, nooit enig heimwee naar Rusland gevoeld. Hij is ook daar een eenzaam kind geweest en het is best mogelijk, dat hij daarbij zijn ongeneselijke zwijgzaamheid heeft opgedaan.

In Skudi heeft hij het cheder bezocht (school voor kinderen), maar hij is ook in de buurt van Kovno, op een talmud-school geweest. Dat was de beroemde jeschiewah, die rabbi Israël Salanter had opgericht en die in diens geest geleid werd.

Wanneer je nu iets begrijpen wilt van het wezen der Litouwse joden en hun geestelijk erfdeel (dat ook het erfdeel van mijn vader was), dan moet je iets weten van deze merkwaardige man. Met welk een diepe eerbied werd zijn naam in ons huis altijd uitgesproken! En als de mannen te zamen kwamen, dan werden hun gesprekken als het ware op die naam afgestemd. Ze konden niet ophouden, verhalen over hem te vertellen. Dat deden de chassidiem ook wel altijd over hun *rebbes* (en daarover kom ik nog te spreken) maar dat was toch heel iets anders. Want rabbi Israël Salanter was allesbehalve een *rebbe* en moest van het chassidisme niets hebben. Hij was geen mysticus, maar integendeel binnen de grenzen van de religie een rationalist.

Er wordt van hem verteld, dat hij reeds als kind, op grond van een fabelachtige kennis der godsdienstige litteratuur, gold als een *iloei*, dat wil zeggen als een wonderkind of een genie. Dat betekende in die dagen vooral maatschappelijk heel wat. Het betekende bijvoorbeeld, dat hij een zeer gezochte partij vormde voor alle voorname joden, die een dochter hadden uit te huwelijken. Hij was dan ook nauwelijks 12 jaar, of hij trouwde al, natuurlijk door bemiddeling van de wederzijdse ouders, met een dochtertje van een koopman in het stadje Salant. Naar het gebruik van die tijd ontving hij kost en inwoning in het huis van zijn schoonouders.

Die huwelijken van kinderen lijken ons tegenwoordig heel vreemd, maar destijds bestond daar een goede reden voor. De joodse jongens werden namelijk door de dienaren van de tsaar aller Russen van de straat, of waar ze anders te vinden waren, opgepikt en gewelddadig in het leger ingelijfd, om daar een leven lang als soldaat te dienen. Alleen getrouwde 'mannen' waren volgens de oekazen vrijgesteld van dienst. Daar nu de dienstplicht voor joodse jongens een volkomen vervreemding betekende van huis, familie en bovenal van godsdienst, trachtte men aan deze ramp te ontsnappen, door hen zo vroeg mogelijk te laten trouwen.

Dat lukte natuurlijk lang en lang niet altijd. Ik heb zo een mislukking meegemaakt. Op een goeie dag kwam een oude man op bezoek, die vertelde, dat hij als joods kind ontvoerd was en zijn leven in Russische krijgsdienst had doorgebracht. Hij had daar promotie gemaakt en was zelfs tot generaal bevorderd. Hij zag er echt naar uit. Hij had iets voornaams, iets martiaals. Hij kon hoog opgeven van de veldslagen, die hij in de Krimoorlog had meegemaakt, van de verwondingen, die hij had opgelopen en de decoraties, die hem ten deel waren gevallen. Bij dat al had hij zijn vader en moeder en zijn hele vroegere familie vergeten en ten slotte zelfs, dat hij van huis uit een jood was. Maar toen hij eindelijk op gevorderde leeftijd uit de dienst ontslagen was, had hem het gevoel overvallen, dat hij, al zijn verworven relaties, zijn huwelijk en zijn kinderen ten spijt, moederziel alleen op de wereld stond. Zo begon hij de weg terug te zoeken. Maar waar moest hij naar toe? Vader en moeder waren allang gestorven en in zijn stadje kende hem niemand meer. Zo trok hij dan maar de wereld in, op zoek naar Russisch-joodse emigrantenfamilies, waar hij de sporen hoopte te vinden zijner kinderjaren.

Het kan wel zijn, bedenk ik achteraf, dat de man een klein beetje een oplichter was, dat hij het helemaal niet tot generaal gebracht had, maar hoogstens, laten we zeggen, tot foerier of sergeant-majoor. Destijds echter geloofde iedereen hem, al was het alleen maar ter wille van de romantiek. Een joodse chederjongen als Russische generaal, dat sprak tot de verbeelding. Wie had er bovendien lust toe, zich te verdiepen in de militaire hiërarchie van het heilige Russische rijk? Wat kwam het er ook op aan? Wat kwam het er zelfs op aan, of het hele verhaal een verzinsel was? Oplichter of niet, generaal of sergeant-majoor, met die man was een brok bittere joodse herinnering over de drempel gestapt van het huis der emigranten.

De twaalfjarige rabbi Israël hoefde er niet bang voor te zijn, dat hij ooit zijn kaftan zou moeten inruilen tegen de generaalsrok van tsaar Nicolaas de eerste, of zijn gebedsriemen tegen epauletten. Terwijl zijn echtgenote speelde met haar pop of met haar vriendinnetjes touwtje sprong, kon hij zijn studie zorgeloos voortzetten bij de beroemde geleerden van Salant. Daar dankt hij dan de naam 'Salanter' aan, waaronder hij bekend geworden is.

Verder dankt hij aan deze geleerden maar weinig. Zij maakten geen indruk op hem. Alleen een eenvoudige winkelier, die een paar uur per dag in zijn winkel zat, en zich de rest van de tijd overgaf aan studie en religieuze bespiegelingen, heeft zijn levensweg bepaald. 'Israël, mijn jongen,' zei hij, 'het zit niet in de omvang van de geleerdheid, maar in de *moessar*,' dit is de joodse ethiek, de ernst en de oprechtheid in het verkeer met God en de moraal in de onderlinge verhoudingen der mensen. 'Leer moessar!'

En rabbi Israël Salanter wierp zich met al zijn ijver en verstand op de bestudering daarvan. Het duurde niet lang, of hij kwam in opstand, niet zoals vele chassidiem, tegen de thora-geleerdheid en de studie van de talmud zelf, maar tegen de wijze, waarop deze het leven en denken der joden overwoekerden. Hij werd bij het klimmen der jaren een hervormer van het onderwijs.

Hij werd dat door zijn karakter, door zijn persoon, door zijn voorbeeld. Men bood hem eervolle posities aan, onder andere belangrijke posten als rabbijn, die hij alle ruimschoots verdiend had. Hij weigerde alles. De autoriteit, die hij ter bereiking van zijn doel nodig had, lag niet in enig ambt, maar in hem zelf. Toen hij na een aantal jaren genoodzaakt was persoonlijk in het onderhoud van zijn gezin te voorzien, waren het nederige, ondergeschikte betrekkingen, waarom hij verzocht. Ze werden hem geweigerd, omdat niemand een man in dienst wilde nemen, die ver boven zijn broodheer uitsteken zou. Ten slotte werd hij aangesteld als *maggid,* dit is kanselredenaar in Wilna.

En hier trok hij, tot grote ergernis van de officiële geleerden en hun aanhang, die zich zelf als een ongenaakbare elite beschouwden, door de inhoud zijner redevoeringen, die niet de spitsvondigheden van de formele religieuze wet betroffen, maar het goed en kwaad in het dagelijks gedrag van de mensen, de eenvoudige bevolking aan, de ambachtslieden, de ongeletterden, de onwetenden. De sjoel stroomde zo vol, wanneer hij predikte, zo vertelden de mensen elkander later, dat hij niet naar het spreekgestoelte door kon dringen, maar door zijn leerlingen en aanhangers over de hoofden van het publiek daarheen moest worden gedragen. De overdrijving ligt er duimendik op. Maar zulke volksverhalen zijn er niet minder illustratief om.

Laat ik al die andere verhalen, die over hem rondgaan, verhalen waarin de humaniteit als hoogste religieuze plicht naar voren treedt, overslaan, hoe boeiend ze ook zijn. En van zijn wederwaardigheden vertel ik enkel, dat de Russische regering hem de leiding op wilde dringen van een school in Wilna, die wat moderner, wat vrijer zou zijn dan de bestaande. Dat paste een tijdlang in haar politiek. Rabbi Israël vluchtte. Hij nam geen opdrachten aan van de regering en bovendien was hij, wat de godsdienstvormen betreft, een hardnekkig conservatief en niet van modernismen gediend. In of bij Kovno richtte hij een eigen leerschool op, waar hij zijn leerlingen zijn eigen denkbeelden bij kon brengen en kon opvoeden in de ethiek. Waar hij hen ook vóór kon gaan in praktische levenshouding.

Door de hogeschool in Kovno en de andere scholen, waar zijn leer werd overgenomen, heeft hij en hebben zijn leerlingen en de leerlingen van dezen, medegewerkt aan de vorming van het karakter ener omvangrijke joodse bevolkingsgroep. Men kan natuurlijk niet zeggen, dat iedereen hem heeft nagevolgd, bij lange na niet, maar wel heeft hij in het algemeen het maatschappelijk voorbeeld betekend. Onbaatzuchtig en onafhankelijk, maar bovenal volstrekt rechtschapen, met als hoogste levensdoel niet macht, niet eer, niet rijkdom, maar de dienst aan de geleerdheid, afstand nemend jegens elk probleem, humaan en meer dan dat, hartelijk jegens anderen (tot in het overdrevene toe), zo zag dat voorbeeld eruit. Zo ontmoette je ze telkens weer, zo waren ze, en als ze zo niet waren, dan trachtten ze zo te zijn, of ze speelden het. Wie zulk een man in de mispoche had, die had *jichoes*, dat wil zeggen die kon er prat op gaan een 'man van stand' te zijn, die bezat 'komaf'. En dat alles werd niet zwakker, integendeel sterker, toen het opvolgen van de godsdienstige wetten aan betekenis afnam en deze zelfs verloor. Onder de Russische joden ontwikkelde zich een geestesaristocratie, die veelal de draagster was van de hoogste menselijke idealen, al was dat dan soms in wat romantische vorm. Maar tot de buitenwereld is daarvan maar amper iets doorgedrongen.

Aan de jeschiewah in Kovno werden wij thuis eenmaal per jaar herinnerd. Dan kwam namelijk de *schaliach* (vertegenwoordiger) van die school op bezoek. De man reisde de hele wereld af om bijdragen daarvoor te verzamelen. De oud-leerlingen genoten natuurlijk bijzondere aandacht. Hij werd met eerbied ontvangen, hetgeen onder andere inhield, dat hij mee aan tafel moest zitten. Ik had een verschrikkelijke hekel aan die grote dikke kerel, die net deed of hij een geleerde was en het mooiste stuk van de aardappelkoggel verslond. Als hij wegging, moest ik hem, op bevel van mijn vader, een handkus geven. Aldus werd de eerbied voor de talmud op de volgende generatie overgebracht. Aldus bleef een kring van leerlingen, verspreid levend over de aarde, met elkaar in contact. De school was het middelpunt.

De schaliach was een bikkelharde domme conservatief, die in naam van de school geen zuchtje van modernisme gedoogde. Toen hij eens op het zionisme kwam te schelden, omdat jongens en meisjes te zamen vergaderingen bezochten, vond ik, dat hij met zijn hele jeschiwah maar in de aardappelkoggel moest stikken. Maar dat deed hij niet. Hij streek vijfentwintig gulden op en zweette van plezier over de provisie, die daaraan voor hem vastzat. Maar voor mijn vader waren zijn bezoeken een band met het verleden.

Voor het overige leek het wel of hij geen herinneringen bezat. Als hij al een enkele keer over Skudi of over Prekulln sprak, dan was het nooit anders dan met een paar laatdunkende woorden. Dan had hij het over de geit aan de ingang van het dorp, die zich inmiddels misschien wel had omgekeerd. Nooit hoorden wij iets over iets, dat er gebeurd was. Waarschijnlijk was er ook nooit iets gebeurd. Met de niet-joodse bevolking, waar men overigens niet anders dan zakelijk mee omging, leefde men in vrede. Zij bestond niet uit Russen, maar uit Letten, want Prekulln lag in Letland. De Letten nu hadden weinig met de Russen op en lieten daarom de joden met rust. Iets dergelijks kwam ook in Polen voor. Later is dat daar danig veranderd.

Het was helemaal geen toeval, dat er in Prekulln maar een paar en in Skudi een paar duizend joden woonden. Prekulln lag namelijk buiten, Skudi binnen het rayon, waar de joden volgens de oekazen van de tsaar aller Russen wonen mochten. Tot dat rayon behoorden, behalve het ingelijfde deel van Polen en in het zuiden een stuk van de Oekraïne, een aantal provincies in het westen van Rusland. Verblijf elders was de joden, zonder speciale vergunning, streng verboden. Waaraan mijn grootvader en de paar andere joden van Prekulln die vergunning te danken hadden, is mij nooit duidelijk geworden. Hun zelf vermoedelijk evenmin. Vroeg je daarnaar, dan werd daar overheen gelopen. Duidelijk antwoord kreeg je niet. Er werd alleen op gezinspeeld, dat mijn grootvader een boer was, maar dat had, geloof ik, meer te maken met de illusie dan met de werkelijkheid. Verder dan een aantal ganzen of kippen, een of twee geiten, een paard en misschien een scharminkel van een koe, heeft hij het, voor zover mij bekend, nooit gebracht. Het is intussen niet onmogelijk, dat deze indrukwekkende menagerie, gevoegd bij een lapje grond, zo groot als een volkstuintje, waarop hij wat rapen of kool verbouwde, hem de verlangde registratie hebben verschaft onder de Russische boerenstand. Maar het is evenmin uitgesloten, dat een aantal roebels voor de desbetreffende ambtenaar dit heeft bewerkt.

Wel zag hij er een beetje uit als een boer met zijn grote robuuste gestalte, zijn korte ronde en volle baard, zijn bruingebrand gezicht en zijn brede vereelte handen. Je merkte dadelijk aan hem, dat hij zich niet bezighield met geestelijke arbeid en zich daar persoonlijk ook niet toe geroepen voelde. Des te meer vereerde hij deze in anderen. Hij rangschikte zich zelf onder de lagere klasse; de hogere dat was in zijn ogen die van de geleerden en van de rabbijnen. Een 'stand' of een 'komaf' had hij niet te bieden. Hij wendde dat ook niet voor.

Ik heb hem tweemaal ontmoet. De eerste keer, toen ik een jaar of veertien was. Hij was uit Rusland overgekomen om zijn zoon te bezoeken en kennis te maken met zijn kleinkinderen, die hij alleen kende van een fotografie. Mijn vader en hij hadden elkaar zo een vijfentwintig of dertig jaar niet gezien, maar het weerzien was, voor zover ik mij herinneren kan, bepaald niet schokkend. Natuurlijk kusten zij elkaar bij de eerste ontmoeting op het station en waren zij ook wel ontroerd, maar meer, dacht ik, omdat dit zo hoorde vanwege de bijzonderheid van het geval, dan omdat zij overstelpt waren door hun gevoelens.

Er is geschreven en dan nog wel in de tien geboden, die de kern uitmaken van de godsdienst: 'Eert uw vader en uw moeder, opdat uw dagen verlengd worden, in het land, dat de Heer, uw God, u geven zal.' Wat dat laatste betekende, kon in het midden blijven. Het was in ieder geval de voorspelling van iets goeds, als je het eerste opvolgde. Mijn vader deed dat dus.

Hij eerde zijn vader. Het viel hem helemaal niet in te vragen, wat hij in hem eerde, ja niet eens, of er wel wat te vereren viel. Het was voorgeschreven en daarmee waren alle vragen beslist. En toch doe je er verkeerd aan, als je je voorstelt, dat een gelovig man, als mijn vader geweest is, een gebod opvolgde, zoals een slaaf het bevel van zijn meester, of een soldaat dat van zijn meerdere. Hij geloofde in dat gebod en volgde dat niet op, omdat het een gebod was, maar omdat het de ware levensweg wees.

Alles goed en wel, maar als je mekaar een mensenleeftijd lang niet gezien en gesproken hebt en alleen maar af en toe wat brieven hebt uitgewisseld en als intussen elk van beiden een eigen leven heeft geleid, dat totaal verschillend was van dat van de ander, waar moeten dan bij het weerzien plotseling het wederkerig begrip en de genegenheid vandaan komen? En waar vind je dan het geduld voor elkaar? Of het nu om twee broers, twee vroegere vrienden gaat of om vader en zoon, dat maakt niet veel verschil. En zo, geloof ik, dat mijn vader en grootvader in de paar weken, dat zij in Amsterdam te zamen waren, niet veel meer van elkaar te weten zijn gekomen, dan dat zij volkomen van elkander vervreemd waren geraakt.

Ook de gedaanteverwisseling, die mijn vader geprobeerd had bij zijn vader teweeg te brengen, deed daaraan niets toe of af. De oude heer was uit de trein gestapt als een Russische moezjiek. Het was winter, dus droeg hij een dikke pelsjas, een bontmuts op 't hoofd en zware halve laarzen, waar zijn brede broek overheen stulpte. Zo kon je hem, als de Amsterdamse burgerman, die je inmiddels geworden was en in elk geval wilde zijn, niet aan je kennissen voorstellen. Mijn ouders hebben mijn grootvader dus van top tot teen aangekleed als een Westeuropese gentleman op leeftijd. De mode van die dagen schreef voor zulk een heer het zwarte pak voor met de geklede jas. Mijn brave grootvader vond dat prachtig. Op zijn hoofd kreeg hij een hoge hoed, geen glimmende, maar, veel deftiger, een doffe, rechte, zonder taille. De bontjas kreeg een goede beurt in de stomerij. Ze kon nog jaren mee.

En zo, met een wandelstok in de hand en niet te vergeten met glacéhandschoenen aan, werd de 'seide', zoals dat in het Jiddisch heet, mee op bezoek genomen en (zonder stok natuurlijk) naar sjoel. Zo werd hij ook gefotografeerd. Jarenlang heeft de foto van mijn verklede grootvader bij ons in de kamer gehangen.

Maar er ontdooide niets. Meer dan koele eerbied, waarin ik ook zelf betrokken werd, heb ik niet meegemaakt, behalve bij het afscheid. Toen was er weer een moment van ontroering, maar ook die was aan de omstandigheden afgedwongen. Ik ben mee naar de trein gegaan. Mijn grootvader liep met mijn vader, die een hoofd kleiner was dan hij, gearmd op het perron van het toenmalige Weesperpoortstation. Hij had zijn pelsmuts weer opgezet en had zijn laarzen aangetrokken. De glacéhandschoenen lagen in de koffer. Het had voor de hand gelegen, dat grootvader bij ons gebleven was. Maar hij had hier niets te zoeken. Hij ging terug naar zijn eenzaam dorp, naar zijn ganzen en zijn geit, waar hij van hield en naar de vrouw, met wie hij na de dood van mijn grootmoeder getrouwd was en van wie hij niet hield. Ze verzorgde zijn huishouden en voor het overige keven ze met elkaar.

Vader en grootvader wisten, dat ze elkaar nooit meer zouden terugzien. Dat zeiden ze ook tegen elkaar en werden sentimenteel. Ze kusten elkaar, ze streelden elkanders handen, ze wensten elkander over en weer de hemel op aarde en namen afscheid voorgoed.

De tweede keer, dat ik mijn grootvader zag, was een jaar of vier later. Ik had eindexamen gymnasium gedaan en was naar Rusland gereisd om, als ik het zo zeggen mag, 'mijn nest' te zoeken. Ik had er jarenlang naar verlangd. Daar heb ik mijn 'seide' (grootvader) dan enkele dagen in zijn eigen omgeving meegemaakt.

Prekulln ligt (of lag, want ik weet niet wat ervan over is) aan de spoorlijn tussen Kovno, dat tegenwoordig Kaunas heet en Liepaja, destijds Libau. Onderweg moest je in Mitau overstappen. Dat was een kruispunt van spoorwegen en daar maakte je dan allerlei gedrang, geschreeuw en spektakel mee. Want van de wegen daarheen en daarvandaan werd veel gebruikt gemaakt, voornamelijk door joden, die direct van Rusland uit naar Amerika emigreerden. Libau was namelijk een kleine havenstad aan de Oostzee en daar scheepten zij zich op Russische boten in. Die boden hun passagiers het voordeel van kosjer voedsel. Bovendien was de reis van sommige streken uit goedkoper, dan die via een Westeuropese haven.

Zo'n havenstad, ook al is hij klein, heeft een

zekere invloed op zijn achterland. Er valt wat te handelen en te scharrelen, er zijn altijd wel wat levensmiddelen nodig en een deel daarvan kan uit dat achterland worden betrokken. Er is al gauw een tussenhandel nodig en daarop zijn de joden meestal, bij gebrek aan beter, aangewezen. Zo viel er zelfs in Prekulln, dat een paar stations van Libau verwijderd was, een graantje af.

Mijn grootvader ging regelmatig naar Libau. Ik heb hem daar op een vrijdagmiddag, tegen de sabbat, op straat ontmoet, een zwarte Russische pet op het hoofd, laarzen aan de voeten en een grote, zware zak op de rug. Ik heb hem die afgenomen, hoewel hij zich daartegen met beide handen verweerde. Het kwam, zei hij, voor mij niet te pas, om met een zak op de rug door de stad te lopen. Hij was maar een eenvoudige jodenman uit het boerenland, die zijn hele leven voor zijn brood had moeten zwoegen en sjouwen. Maar ik was een meneer uit het Westen; en bovendien zou ik mijn mooie pak maar bederven.

Dat pak was van lichtgroen flanel, mijn overhemd flink gesteven met losse puntboord en manchetten. Ik droeg een kokette vlinderdas, lichtbruine schoenen en op mijn toen nog zwarte haren een moderne hoed van panamastro. Kortom: ik was geheel gekleed naar de mode dier dagen, zij het dan niet naar de laatste mode van Prekulln of Skudi.

Wat hebben we met ons tweeën die dag een

plezier aan elkaar beleefd, grootvader en ik! Wat waren we trots op elkaar, ik op de oude man in zijn sjofele werkpak, die niet goed wist, wat hij met z'n lege handen moest doen, en hij op de jonge dandy met de zware zak op zijn rug. Er zat linnengoed in, dat hij uit een wasserij in Libau gehaald had, om zijn ontevreden vrouw te gerieven.

Het was volop zomer en wij hadden dorst. We zijn in een soort herberg terechtgekomen, waar de oude man blijkbaar een stamgast was. We kregen donkerbruin bier met een soort stroop, die ze limonade noemden. Dat moest ik door elkaar mengen, zei hij, daar word je sterk van. In de gelagkamer of wat er voor doorging, stond een breed bed vol met peluwen en kussens, waar een dikke vrouw op lag te slapen, omzwermd door vliegen. Allerlei gespuis kwam binnen, Letten, joden, Russen, de meesten haveloos met scheuren in broek en jas. Sommigen handelden met elkaar en sloegen elkaar op de schouder, een enkele schreeuwde een vuile opmerking door de kamer, die ik niet verstond, maar waar iedereen om bulderde van het lachen. Een enkele was dronken. 'Kom,' zei mijn grootvader, 'dat is niets voor jou.'

We stapten in de trein en reden naar huis. Daar begroette ons de hond en met bijna even grote hartelijkheid de jonge Letlandse knecht. Daar stonden de sabbatkaarsen al op de tafel te branden, daar was het witte tafellaken gespreid, daar lagen twee verse gallebroden onder een witte doek te wachten. Op het doek was in goud de zegensspreuk geborduurd, die men spreekt vóór het eten van brood. Naast het brood stond een vaatje met het onmisbare zout.

Mijn grootvader ging zich wassen en kleden en kwam na een tijdje terug, zowaar in zijn geklede jas van Hollenkamp in de Vijzelstraat. Hij zegt zijn avondgebed uit het hoofd, afwisselend luid en stil. Ik help hem daarmee een beetje, maar heb een gebedenboek nodig, want, o schande, ik ken het niet van buiten. Als wij klaar zijn, begint hij te neuriën. Het is het uur, waarop de mystiek iedere jood gevangen neemt.

Vrede met U, Gij dienstdoende engelen uit den
  hoge
Van den koning, de koning der koningen, de
  heilige, geloofd zij hij.
Uw komst zij vrede, engelen van de vrede, engelen uit den hoge.
Van den koning, de koning der koningen, de
  heilige, geloofd zij hij.
Zegent mij ten vrede, engelen van de vrede,
  engelen uit den hoge.
Van den koning, de koning der koningen, de
  heilige, geloofd zij hij.
Uw heengaan zij vrede, engelen van de vrede,
  engelen uit den hoge.
Van den koning, de koning der koningen, de
  heilige, geloofd zij hij.

En mijn grootvader fluistert:
De Heer zegene uw gaan en komen
Van nu tot in alle eeuwigheid.

Dan nodigt hij mij uit. Dan gaat hij aan tafel zitten. Dan schenkt hij de wijn in en zegent de sabbat. De beker gaat rond en wij nemen daaruit elk een slokje. Dan snijdt hij het brood aan, doopt het in zout en zegent het brood. Dan geeft hij mij een stuk. Ik doe hetzelfde. Ik kijk naar hem en merk ineens hoeveel mijn vader op hem lijkt. 'Kom,' zegt hij, 'eet!' Hij heeft naar goed joods gebruik een gast op vrijdagavond aan tafel. En die gast is zijn enige kleinzoon. Nooit tevoren en nooit daarna heb ik een man zo gelukkig gezien.

III

En het was avond en het werd morgen, de zesde dag was voorbij en de zevende brak aan. De zevende, dat is de dag, waarop God gerust had van al het werk, dat Hij in de vorige zes dagen had gedaan. Het had uit niet meer en niet minder bestaan, dan uit het scheppen van hemel en aarde en van alles, wat daarop leeft. En omdat God op dien dag rustte, noemde hij hem sabbat (dat is rustdag) en heiligde hem. Wie het niet gelooft, kan het nalezen in het eerste hoofdstuk van *tenach*. En wie het wel gelooft, zal, als hij een jood is, op die dag hoegenaamd niets doen, dat ook maar in de verste verte aan arbeid herinnert. Hij zal die dag heiligen, evenals God had gedaan.

Mijn grootvader, zijn vrouw en ook een oom van mij, die nog in huis was, geloofden het natuurlijk wel en werkten dan ook niet. Van 'heiligen' kwam echter weinig terecht. Er werd wel wat gezongen, er werden wel psalmen gelezen, maar hoofdzakelijk werd er geslapen, voor zover er niet gegeten, gebeden en theegedronken werd. Dat kon niet anders, als je zo ver van een joodse gemeente af woont en bovendien waren de mensen moe van het werken.

Het leek wel of de paar dieren, die tot hun bedrijf hoorden, ook al joden waren geworden en ook de sabbat hielden, zo rustig was het er, en, eerlijk gezegd, zo vervelend. Er kraaide geen haan, er kakelde geen kip en geen gans kwakkelde voort. Voor de deur in de schaduw lag de hond te slapen.

Ik ben die sabbat een paar uur met de knecht gaan wandelen door de velden. Hij sprak wat Jiddisch, dat hij in dienst van mijn grootvader had geleerd. Hij liet mij de onafzienbare akkers zien van zijn vaderland met het prachtige zware graan. Niets daarvan behoorde aan mijn grootvader, niets trouwens ook aan hem. Het was allemaal eigendom van een baron met een Duitse naam, die ergens verderop troonde in een groot slot. Van hem was derhalve iedereen afhankelijk en voor hem had iedereen daarom het grootste respect.

Het koren was rijp en er zou die dag worden gemaaid. Aan de rand van een enorme akker stelde een lange rij boeren zich naast elkander op, ieder met een zeis in de hand. De meest rechtse deed een stap vooruit, zwaaide met de zeis door de halmen en sneed een schoof. Daarop volgde de tweede, die hetzelfde deed, vervolgens de derde enzovoort. Ten slotte bewoog de hele rij mannen zich in een schuine lijn tussen de ene kant van het veld en de andere stap voor stap vooruit. Ze waren amper te zien door het manshoge koren. Achter hen vielen de halmen neer, vóór hen schenen zij de maaiers te tarten. Het was een geheimzinnig gezicht, net alsof er een geweldig mes door een onzichtbare reus vooruitgeschoven werd. Het deed me denken aan de guillotine.

's Avonds, nadat de drie sterren aan de hemel waren verschenen, hetgeen betekende dat de sabbat voorbij was, ontwaakte de familie met tegenzin en werd er geslacht. Toen merkte ik pas, dat het bedrijf van mijn grootvader ook al uit een slagerij bestond. Mijn oom was de slager.

In een schuur naast het huis slachtte hij die avond drie schapen en een koe. De knecht hielp mee. Gedeeltelijk geschiedde het slachten 'kosjer', gedeeltelijk niet. Waarin het verschil bestond, heb ik niet kunnen ontdekken. Het werd er alleen maar bijgezegd. Van het kosjer-geslachte schaap werd een oor gesneden, maar dat was alleen een herkenningsteken en had met het ritueel niets te maken. Het kosjere vlees was voor de joden, het andere voor de anderen. Ik heb die slachterij weinig verheffend gevonden. De stuiptrekkingen van de geslachte koe hebben mijn gevoelens voor mijn grootvader bepaald geen goed gedaan. Ik weet wel, dat dit onbillijk was, maar wat doe je aan zo iets?

Door die slagerij heb ik wel begrepen, dat het hem op zijn afgelegen post nog zo slecht niet moest gaan. Rijk kan hij niet geweest zijn, maar hij had zijn brood en was gul. Mijn oom was gierig en een binnenvetter. Hij zal in het geniep wel wat bezeten hebben. Daar zag hij echt naar uit met zijn ongeschoren gezicht. Hij is ook nog eens een paar weken in Amsterdam op bezoek geweest. Ik herinner mij van hem alleen, dat hij altijd een baard had van twee dagen. Hoe iemand zo iets klaarspeelt, is nooit duidelijk geworden. Het was moeilijk contact met hem te krijgen. Mij is het niet gelukt. Het lijkt mij, dat hij volmaakt met zijn dorp vergroeid was, zoals een man, die lang in de gevangenis zit, vergroeit met zijn cel. De mensen noemen zo iemand een pummel. Later is hij op tamelijk hoge leeftijd, zoals een gierigaard betaamt, getrouwd en heeft hij ook kinderen gekregen. Dat alles kwamen we te weten, zolang er nog een postverbinding bestond.

Maar tijdens en na de eerste wereldoorlog heeft niemand ooit meer iets van de familie gehoord. Wat er in de revolutie van 1917, of tijdens de zelfstandigheid van Letland van de mensen daar terechtgekomen is, weet ik daarom niet. En laten we ons maar niet verdiepen in het lot, dat hen in de tweede wereldoorlog getroffen heeft, voor zover zij deze mochten hebben beleefd. En wat is er met de baron gebeurd? En met de knecht?

Het 'nest', dat ik gevonden heb, bestaat niet meer. Het huis waar mijn vader geboren is, moet allang verdwenen zijn. Het was trouwens destijds al een oud houten huis, en was ook zonder revolutie en zonder wereldoorlogen vanzelf wel vergaan.

Het was een tamelijk groot en ruim huis van

twee verdiepingen. Gangen waren er niet. Als in de meeste oude Russische huizen liep je van de ene kamer direct de andere in. De gevel staat mij nog altijd bij. In het kantoor van mijn vader heeft daar een foto van gehangen. Daarop zag je het huis, diep onder de sneeuw en daarnaast mijn grootvader, diep in zijn pelsjas gedoken en de bontmuts op het hoofd, in zijn slee, de leidsels van het mooie bruine paardje, waar hij zo trots op was, fier in de handen. De Letlandse knecht hield het paard aan de halster vast. Het huis lag vlak langs de spoorlijn. Toen ik de eerste keer met de trein in Prekulln aankwam, herkende ik het direct aan het ronde raam van de zolder. Dat gaf een gevoel van blijdschap, net alsof je 'teruggekomen' was. Dat gevoel heeft niet langer dan een ogenblik geduurd, maar dat ik het had, is mij bijgebleven.

Zondag gingen we naar Skudi, mijn oom, de knecht en ik. We stonden heel vroeg op, het schemerde nog. Eerst moest natuurlijk de dagelijkse verhouding geregeld worden met de 'Heer der wereld', 'Die regeerde voordat de hele schepping geschapen was', dat wil zeggen dat het lange ochtendgebed moest worden gezegd, dat met deze woorden begint. Ter wille van mijn grootvader kon ik mij daaraan niet onttrekken. Ik moest juist om zijn oude hart te verkwikken laten zien, hoe vertrouwd ik was met alle ingewikkelde regelen van het verkeersreglement tussen het oude volk en diens Schepper.

Ik kende het. Ik had het als kind in dagelijkse lessen jarenlang geleerd, maar ik was de fijne kneepjes natuurlijk allang weer vergeten. Ik had daarom een beetje gerepeteerd voor ik naar het heiligdom van Prekulln optrok. Het resultaat was verrassend. Mijn grootvader heeft plezier aan mij beleefd.

Ik heb het tallis gekust en op de juiste wijze omgeslagen. Ik heb foutloos de tefillin om mijn hoofd gelegd en om mijn linkerarm gebonden. Als je weten wilt, wat dat zijn, dan moet je het bekende schilderij van een oude jood van Marc Chagall bekijken. Je zult dan zien, dat de tefillin uit riemen bestaan, waaraan twee vierkante houten hulzen zijn bevestigd. Daar zit, geschreven op kleine perkamenten rolletjes, de oude geloofsbelijdenis in van de eenheid Gods en ook het gebod om hem lief te hebben, 'met heel uw hart, met heel uw ziel en heel uw vermogen'. Dat alles en nog wat meer moet naar bijbels voorschrift, als een 'teken op de hand en kenmerk tussen de ogen gebonden worden'. Door het aanleggen van de tefillin, waarbij iedere beweging is gereglementeerd, wordt aan dit voorschrift voldaan.

Ik heb ook, stil en voor me zelf, staande met het gezicht naar het oosten aan God gevraagd 'mijn lippen te openen, opdat mijn mond Zijn lof zou kunnen verkondigen'. Ik heb dat vervolgens gedaan door de achttien voorgeschreven lofzeggingen te zeggen. Ik heb mijn lichaam daarbij rustig heen en weer bewogen, naar de trant der Russische joden. In Polen had ik dat heftiger moeten doen, in Galicië met hartstocht. In Holland had ik de stijfheid moeten aannemen van de stok, die ze daar allemaal hebben ingeslikt. Ik heb mijn knieën gebogen, waar dat moest, mijn ogen gesloten, waar dat te pas kwam en ik heb met drie passen achterwaarts afscheid genomen van de Heilige, geloofd zij Hij.

Het was een afscheid voorgoed. Ik heb nadien nooit of nagenoeg nooit meer op dezelfde voet met Hem gestaan. Maar of ik daarop pochen mag? Als je ouder wordt, leer je het pochen wel af.

Hoe dan ook, destijds was het een pak van mijn hart, toen 't was afgelopen en was ik blij, dat we aan de gerookte ganzebout konden beginnen, waarmee het ontbijt geopend werd. De vrouw van mijn grootvader had hem klaargemaakt. Ze kookte voortreffelijk, naar zijn smaak tenminste. Dáárvoor en om het huishouden te doen, had hij haar getrouwd. Geen van beiden had hogere illusies. Zij hield zich op de achtergrond en hij zorgde, dat ze daar bleef. Zij behoorde meer tot zijn menagerie, dan tot zijn gezin. Wat kookte ze zo allemaal? Wat iedere huisvrouw in Rusland kookte: darmen opgestopt met een mengsel van meel en vet en in de soep gekookt, aardappelkoek met een knappende korst, gevulde milt of de beroemde 'gefillte Fisch' (riviervis natuurlijk) met uien, karpers met rozijnen en snijkoek, ganzeborst met gehakt, wortelen met een dikke meelknoedel daarin, zwemmend in zoete vettigheid. Zuurzoete kool met vlees en ga zo maar door.

Ze bakte het brood voor elke feestdag in een andere vorm, soms die van de ladder Jacobs, om mee ten hemel te stijgen, soms die van de stenen tafelen van het verbond, soms als een dikke streng, soms als een buil. Ze rolde deeg in dunne bladen uit, sneed dat in repen en bakte daarvan in een diepe pan een 'koggel' met boter. Of ze maakte daar lange stengels van, zo dik als een vinger, verdeelde die in kleine blokjes, die ze dan samen met gepelde amandelen in honing kookte. Heel dunne flensjes, opgevouwen en gevuld met gehakt of witte kaas met rozijnen (waar je het zuur van kreeg) of met een korrelig mengsel van meel, waren bedoeld als 'toetje', maar werden de hele dag door iedereen uit de kast gestolen, als hij daar trek in had; gekonfijte sinaasappelschil of afgekookte tuinbonen met zout bestrooid, of zelfgemaakte plakkerige bessenkoekjes vormden het snoepgoed. Stroperige kersen- of aardbeienjam of een soort vla van aalbessen werd in de thee gedronken. Ze vulde de worst met knoflook. Wat wil een mens nog meer? Kip natuurlijk en compote van peren of pruimen, als 't kan met een snuifje gember.

De dichter Heinrich Heine heeft een lyrische ontboezeming aan de joodse 'sjalet' gewijd. Hij

heeft er de oostjoodse keuken onrecht mee gedaan. Dat komt ervan, als je nooit in Prekulln
geweest bent.

Ze waren niet zuinig op het eten, de joden in
Rusland, als ze dat tenminste betalen konden.
Maar de gewone man kon dat niet. Hij mocht al
blij zijn met een stuk brood met, als 't eraf kon,
o weelde, een beetje kippevet, of anders de kop
van een zoute haring. En vaak genoeg was ook
dat niet bereikbaar. Het ging ermee, zoals het
altijd en overal in de wereld gegaan is. Terwijl
de meeste joden rondliepen met een hongerige
maag, kreeg een kleine minderheid een maag-
kwaal. Krijg hem eens niet bij zulk een over-
daad! Wie het zich enigszins veroorloven kon,
ging eenmaal per jaar een ontvettingskuur van
een paar weken doen in Karlsbad. Dat deed hij
trouwens niet alleen om een paar kilo's lichter
te worden, maar ook omdat het zo deftig stond
tegenover de buren. Nog deftiger was het, als de
vrouwen mee konden pralen.

Mijn grootvader ging niet naar Karlsbad.
Niets lag hem verder, dan daaraan te denken.
Hij wist het bestaan niet eens van dat eiland in
die zee van vettigheid. Bovendien was de zware
zak, waarmee hij regelmatig naar Lipaja trok,
daartegen een voldoende remedie. En wat de
deftigheid betrof, hij had een paard en een kar
en dat was voor Prekulln genoeg. Het paard
werd ingespannen en wij zetten ons in de kar.
Meer dan een open vierkante bak op hoge wie-

len moet je je daaronder niet voorstellen. Hij deed mij denken aan die oude karren van de schelpenvissers aan het Hollandse strand. De weg was slecht want het had in de laatste dagen zwaar geregend. Het was ook helemaal geen weg, waarover we hobbelden, het was alleen maar een karrespoor. We werden verschrikkelijk door elkaar gerammeld, want de kar had natuurlijk geen veren. De vrouw van mijn grootvader, die wilde tonen, dat ze toch ook een beetje tot de familie behoorde, had me een kussen meegegeven om op te zitten. Een middel tegen blauwe plekken bleek ook dat niet te zijn.

Onderweg weken we even uit naar de kant en hielden stil. De petjes gingen af en mijn mooie panama deed mee. De baron kwam namelijk voorbij met een klein gezelschap, allen te paard. 'Ze zijn op jacht geweest,' zei mijn oom en er klonk eerbied in zijn stem. Het leek me een beetje vroeg, maar wat weet je tenslotte van een baron?

Ik zou, ik had het mijn vader vóór mijn vertrek al beloofd, mijn grootmoeders graf bezoeken. Ook mijn grootvader stond daarop. Daarom ging ik naar Skudi. Ik had het ook zonder belofte en zonder die aandrang gedaan. Wij, kinderen, hadden grootmoeder Frieda nooit gekend, maar als wij haar wel hadden gekend, had zij nooit zo diep in ons hart geleefd als nu.

Zij moet van huis uit Gila hebben geheten of daaromtrent, in het Jiddisch 'Freide', wat niet 'vrede' betekent maar 'vreugde'. Maar zoals Naomi uit het verhaal van Ruth tot haar dorpelingen zei: Noem mij niet Naomi (dat is troost), maar Mara (dat is bitterheid), zo had zij kunnen zeggen: Noem mij niet 'vreugde', maar noem mij 'smart', want de Heer heeft mij veel verdriet gezonden.

In onze huiskamer hing van oudsher in een ouderwetse bruinhouten lijst met bewerkte hoeken een groot portret van haar, dat getekend was naar een fotografie. Daar had zij mooie grote ogen op, maar die ogen waren blind geworden. Ook lag zij lange jaren altijd in bed, want zij was verlamd. Mijn zwijgzame vader vertelde ook hierover niet veel.

Van mijn moeder hoorden we over haar iets meer. Zij had haar een keer bezocht. Dat moet nu precies 69 jaar geleden zijn, want ik was een kind van één jaar. Tante Lies, die in Parijs woont en die je wel kent en bijna een jaar ouder is dan ik, werd op de Russische reis meegenomen. Want grootmoeder Frieda wilde zo graag, voordat zij stierf, de vrouw leren kennen van de zoon, die toen hij achttien jaar was, weg was gegaan en ook een van zijn kinderen één keer bij zich hebben.

Mijn vader zelf kon niet terugkomen. Hierover heeft hij nog dieper gezwegen, dan over al het andere, dat hij voor zich hield, maar ik heb wel begrepen, waar dat in zat. Hij zal geen bijzondere liefde hebben gevoeld voor tsaar

Alexander, die in zijn jeugd over Rusland regeerde. Dat berustte op wederkerigheid, want de tsaar moest ook van hem niets hebben. Niet dat ze elkaar ooit ontmoet hebben! De hemel beware! Dan was er van een van de twee niet veel overgebleven en die ene zou niet de tsaar zijn geweest. Het was eenvoudig een kwestie van jodenvervolging. Mijn vader schijnt er bepaald niet geestdriftig voor geweest te zijn, als soldaat deel uit te maken van het roemruchte Russische leger. Niet, omdat dit ondanks al zijn roem, in iedere oorlog verslagen werd, maar omdat het elke nederlaag op de joden wreekte. Ook is het niet onmogelijk, dat hij iets had opgesnoven van de revolutionaire lucht, die begonnen was zich over Rusland uit te breiden en dat hij wel eens op een geheime vergadering was gesignaleerd. Hoe dan ook, het leek maar beter de heilige Russische aarde de rug toe te keren en wel voorgoed. Wat had hij er trouwens te verwachten? De kippen van Prekulln legden wel goede eieren, maar te weinig voor meer dan één gezin met drie kinderen. Er was namelijk behalve de twee zoons ook nog een meisje in huis. Toen ik op bezoek was, woonde zij allang in Amsterdam. Ook zij was geëmigreerd, want de ganzen, de geit en de slagerij boden ook voor haar en haar gezin niet veel kansen voor de toekomst.

Mijn moeder heeft altijd met grote tederheid over haar schoonmoeder gesproken. Zij vertelde, hoe de zieke haar had gekust en met haar blinde vingers haar gezicht had afgetast en de ogen, het haar en het figuurtje van haar kleindochter, om zich in gedachten voor te stellen, hoe ze eruit moesten zien. En moeder zong ons vaak het melancholieke liedje voor, waarin grootmoeder Frieda klaagde over haar lot. Mijn vader was daar niet bij.

Op een dag, (hoe merkwaardig, dat men zich zo iets zo precies herinnert! Het was 's middags tegen een uur of vier en het schemerde al in de kamer. Ik zat op de grond te spelen) op een dag kwam er een telegram. Grootmoeder Frieda was dood. Mijn vader was niet thuis. Hij kwam een tijdje later binnen. De gaslamp was nog niet aangestoken, maar ik merkte, dat hij huilde.

De gordijnen werden neergelaten, over de spiegel werd een laken gehangen en hij ging 'schiwwe zitten'. Zo pleegt men in een joods gezin te rouwen over vader, moeder of kind, over man of vrouw, als zij sterven. Eerst komt er een week van zware rouw, dan komen dertig dagen van lichtere rouw, dan een jaar, waarin op de schoorsteen een klein oliepitje brandt ter herinnering aan de dode en elke dag, niet één- maar driemaal, kaddisj wordt gezegd. 'Schiwwe' is een verbastering voor 'schewa' dat 'zeven' betekent. Daarmee worden de zeven dagen aangeduid, gedurende welke de rouwenden op de grond zitten of op een stoof of lage kruk, zo hun maaltijden gebruiken en hun vrienden en kennissen ontvangen, die hen komen troosten. In die dagen werken zij niet en gaan niet op straat. En omdat zij niet uitgaan, gaan zij ook niet naar sjoel, maar komt er een aantal mannen dagelijks bij hen thuis om het tiental vol te maken van het minjan, dat hen in staat zal stellen 'in gemeenschap' hun gebeden te zeggen en het kaddisj uit te spreken voor de dode. Sommige van die mannen worden daarvoor betaald. Ik had een hekel aan hen, zoals je als kind een hekel aan doodgravers hebt.

In die zeven dagen en ook in de dertig die volgen, scheren de mannen zich niet. 'Scheren' is eigenlijk niet het juiste woord, want scheren mag nooit. Knippen mag wel, maar er zijn joodse groepen, die ook dat niet doen, en vooral van de lokken aan hun slapen een ware cultuur plegen te maken. Er staat immers geschreven in de thora: 'Gij zult de rand van het hoofdhaar en de baard niet afscheren.' Want dat deden de heidenen in het land Kanaän en wat de heidenen deden, moesten de joden laten. Je hebt wel afbeeldingen van joden gezien met hele kurketrekkers aan hun slapen. Als het mode was, zou je het mooi vinden. Nu vinden de mensen dat alleen maar potsierlijk. Maar de 'knecht Gods' trekt zich daar niets van aan. Denk je, dat hij aan het hof van zijn 'Koning' wil verschijnen zonder tot in de puntjes te zijn uitgedost volgens het daar heersende protocol?

Iedere militair trekt groot tenue aan met ridderorde en al, als hij voor zijn keizer verschijnen moet. Alleen voor de knecht van God is dit verschijnen geen uitzondering. Hij wordt in permanente audiëntie ontvangen en hoort er ieder ogenblik van de dag op voorbereid te zijn, dat hij ter verantwoording wordt geroepen.

Het is voor de hele familie een gewichtige aangelegenheid geweest, dat de vader van het gezin zich tijdens de rouw om zijn moeder niet geschoren heeft. Vroeger droeg hij enkel, naar de mode van die dagen, een snor. Juister is het om te zeggen een knevel. Want het was niet zomaar een plukje haar of een armetierig borsteltje, dat onder de neus te zien was, maar een ware zijige haargolf, die over de bovenlip welfde en zich aan beide kanten voortplantte in sierlijke ronde punten. Zijn wangen en kin waren glad. Hij behoorde al tot de generatie, die zich wel aan de wet hield, maar het met de strengste chicanes in hare uitlegging zo nauw niet meer nam. Hij schoor zich dus iedere dag en deed dit des te liever, omdat hij een kuiltje in de kin had, waar mijn moeder, en zij niet alleen, verliefd op was. Maar het is heel iets anders te breken met de mode, die vele eeuwen geleden voor Kanaän zin had gehad, dan zich niet te storen aan de altijd nog zeer actuele regelen van de rouw. Als je daar zelf al niets om zou geven, dan kon je het nog tegenover de buitenwereld niet doen. Ik geloof, dat mijn vader zowel om het een als om het ander zijn baard liet staan.

Dat was het begin van een bezit, dat belangrijker was dan een familievermogen. Het is geboren als stoppels, ontwikkelde zich tot een puntige sik en groeide ten slotte uit tot een trotse vierkante, zwarte baard, veel en veel deftiger dan een bef.

Mijn vader was een ijdel man, hetgeen niet tot één generatie beperkt is gebleven. Zijn baard werd het troetelkind van zijn ijdelheid en dat werd niet anders toen het zwart al lang voor zilver had plaats gemaakt. Vraag aan je moeder, of zij zich nog herinnert, hoe ze als kleuter op zijn schoot is geklommen, om met haar kleine handen door dat glanzende zilver te woelen. Alleen al daarom moesten er geen baardeloze mannen bestaan.

Hij was een mooie man. Ik heb ook meermalen een portret van hem getekend, toen ik me nog aan tekenen te buiten ging. Ik kende zijn gezicht uit mijn hoofd, zijn gladde, hoge voorhoofd en zijn fijngevormde neus. Het was een typisch joods gezicht, maar had ondanks de zwarte baard, niets van een rabbijn. Niets lag hem trouwens verder dan dit te wezen. Hij miste daartoe iedere rechtlijnigheid van denken. Zijn kenmerk was juist de twijfel, die onzekerheid, welke hem verleidde tot excessen in de beoordeling van mensen en dingen. In zijn waardering kon hij overdreven zijn, in zijn kritiek mateloos onrechtvaardig.

Aan mijn grootvader is alles breed en vierkant geweest, van schouders tot vingertoppen toe. Alles drukte lichaamskracht uit en stoerheid. Mijn vader was niet alleen kleiner dan hij, zijn handen en voeten waren ook smal, zijn polsen en enkels bijna teer. Dit moet hij hebben geërfd van zijn moeder, en daarom stelde ik mij haar voor als een slanke, tengere en sierlijke vrouw, wat trouwens ook paste bij al die tederheden, waarmee wij haar in onze gedachten omgaven. Als zij zou leven, zou ik naar haar toe gaan en zou haar in mijn armen nemen, want zij was licht om te dragen. Ik zou zeggen: 'Kom, lig niet langer in bed, ik draag je naar buiten in de zon.' Zij zou haar hoofd tegen mijn schouder leggen en ik mijn wang tegen de hare. Zij zou niet gerimpeld zijn, niet oud en niet jong, maar zonder leeftijd en hoe sierlijk in haar lange donkergrijze japon. Ik zou zeggen: 'Ik kom je de groeten brengen van je zoon, die je zo lang niet gezien hebt.' En zij zou zeggen: 'Noem mij niet smart, noem mij vreugde.'

Maar mijn grootmoeder Frieda was dood en ik was op weg naar haar graf.

IV

Ik ben aan dat graf geweest, maar hoe het eruit heeft gezien, weet ik niet meer. In mijn herinnering is Skudi alleen blijven bestaan als één grote hoop armoede, grauw en vaal en overdekt door een dikke laag stof, waar je vooral niet aan moest komen, als je geen wolk van vuil wilde opjagen, waar je in stikte. Alles was er rommelig, kleurloos, versleten.

Twee groezelige doodgravers, gekleed in smerige hemden en gescheurde, rafelige broeken, met vettige zwarte petten op het hoofd, waren op de begraafplaats bezig een graf te graven, luidruchtig kijvend over de lengte en breedte, die het hebben moest. Ze waren nog niet klaar, toen er al onder schor gezang, waarin woord noch melodie te herkennen viel, een even groezelige en haveloze groep mannetjes aan kwam schuifelen, met in hun midden het lijk, verpakt in een doek. Het werd in het graf gelegd, kreeg op de plek, waar ogen en mond moesten zitten, een scherf van glas of steen en onder het hoofd een zakje aarde uit Israël. Toen werd het graf dichtgegooid en werd er kaddisj gezegd. Van mijn liefdevolle stemming jegens mijn grootmoeder is niets overgebleven.

Armoede, dat was het, wat je altijd het eerst ontmoette, als je een stad of stadje binnenkwam in het rayon, waar de Russische joden wonen mochten. Eentonige armoede. Je kon haar niet ontlopen, ook als je het zou willen. Zij drong zich aan je op. In Wilna bij voorbeeld, dat toch al een stad van enige betekenis was, vertelde mij een winkelier, dat hij iedere vrijdag een ware invasie te doorstaan had van bedelaars, die van winkel tot winkel trokken en daar werden afgescheept met één kopeke per man of persoon. De vrouwen waren in de meerderheid. Een kopeke had destijds de waarde van één en een kwart cent. Als de gold-rush al te sterk werd, zat er niets anders op dan dit rantsoen te verminderen tot de helft. En dan was hij wekelijks altijd nog een paar roebels kwijt. In een andere stad heeft een der gezeten burgers mij eens meegenomen naar het armenhuis, waar aan filantropie gedaan werd. Het was afzichtelijk.

Daarbij was de opdringerige armoede nog niet eens de ergste. Erger dan de bedelaar, is hij er aan toe, die zich voor zijn armoede schaamt.

Ken je het verhaal van de arme jood, die op een keer thuiskwam en tot zijn schrik zijn dalles in de hoek van de kamer zag zitten? Het is een bekend verhaal, maar het auteursrecht is van mijn vader. 'Dalles' is Hebreeuws en betekent 'armoede'. Het woord is ook in de Nederlandse volkstaal overgegaan. Lees er Van Dales woordenboek maar op na.

De dalles zag er zo verschrikkelijk haveloos uit, dat het hart van de jood van medelijden ineenkromp. Wat moest hij doen? Hij had maar één enkele jas, maar hij trok hem uit, om de al te sjofele dalles tenminste iets te geven. De dalles, opgetogen over die vrijgevigheid, probeerde de jas aan te trekken. Maar hij paste niet. Want toen de jood zijn jas had uitgetrokken, was zijn dalles groter geworden.

Drie roebels in de week (dat stond gelijk met drie gulden en drie kwartjes) was een inkomen voor menigeen om jaloers op te zijn. Wat kon je daar niet goed van leven met je vrouw en kinderen! Eén roebel voor de huur, één roebel voor de sabbat en dan hield je nog een hele roebel over voor de rest van de week. 'En dat had ik nou kunnen verdienen,' zei dat uitgeteerde mannetje tegen me, dat zwoegend aan de riemen van zijn zware jol, mij de sterk stromende Daugawa (destijds Dwina) overzette, toen ik naar het dorp van mijn moeder wilde. De opzichter van de begraafplaats was doodgegaan en hij had diens baantje kunnen overnemen. Maar hij had pech. Hij was namelijk een 'cohen', dat wil zeggen dat hij tot de oude kaste behoorde der priesters, die een kleine tweeduizend jaar geleden de tempeldienst hadden verzorgd in Jeruzalem en wier adel van vader op zoon is overgegaan.

Het was dus een heel oude adel. Al z'n leven, dat de hoogedelgeboren heer Itzig Cohen, die in weer en wind zijn logge boot over de Dwina trok, nog geparenteerd was aan het legitieme koningshuis der Hasmoneeën, als al de herinnering aan zijn geslacht niet nog eeuwen verder in de geschiedenis terug ging. Nicolaas II en alle regerende vorstenhuizen van Europa waren kwajongens tegenover hem.

Zijn pech bestond daarin, dat de priester volgens de wet zich niet verontreinigen mag aan een dode. Weg dus baantje van drie roebel per week! Zijn adellijke afkomst veroordeelde hem om zijn laatste levenskrachten in te zetten in een heldhaftige strijd tegen de harde stroom van het water. Recht ertegenin tot op de helft van de brede rivier, en dan je naar de andere kant laten glijden, waarbij je alleen maar behoefde te sturen. Maar ook dat ging alleen goed, zolang het niet winter was en de rivier bevroor. Zijne Hoogheid was dus nog een seizoenarbeider ook.

Daartegenover had hij dan het voorrecht om te zamen met zijn medepriesters op elke feestdag vóór de kast aan de oostelijke muur van de sjoel te staan, waarin de thorarollen werden opgeborgen en van daar uit, het tallis over hoofd en handen, met gespreide vingers, de zegen uit te spreken over de verzamelde gemeente Israëls. Jammer genoeg konden noch hij, noch deze gemeente daarmee hun magen vullen.

Wat deed je voor de kost, als je in zo'n stad of stadje, de hemel mag weten op welke manier, terechtgekomen was en als 't je niet gelukt was als koopman of fabrikant naar boven te komen en daar te blijven drijven? Je probeerde wat te verdienen als tussenpersoon, je ventte wat, je had een kraampje op de wekelijkse markt, je was een houthakker, een waterdrager of een koetsier, of je knipte een broek en verstelde een jas, je naaide een bontmuts, je lapte de schoenen van burgers en ambtenaren. Maar dan moest je natuurlijk al een vak hebben geleerd. Als je timmeren kon of solderen, dan was er hier en daar wel een karweitje te vinden. Soms mocht je de boeken bijhouden van een rijke zwager of neef, soms had je door zware en gestadige studie je een rabbijnenpostje veroverd, dat echter ook meer eer inbracht dan eten. Of je was er in geslaagd ergens in je kamer een klein schooltje te beginnen, een zogenaamd *cheder*, waar je de jeugd lezen en schrijven bij bracht, *tenach* met hen vertaalde en, voor zover de onafzienbare rij der geboden hen niet vanzelf aanwaaide, hen daarin onderwees. Dan mocht je dankbaar zijn, als je na tientallen jaren van ergernis en hongerloon, niet aan de tering te gronde ging. Soms deed je eenvoudig niets, maar zat je dag en nacht met een aantal medehongerlijders over de talmud gebogen, om toch maar precies te weten te komen, wat de Heilige, geloofd zij Hij, nu eigenlijk wilde van Zijn arme volk. Dan moest je vrouw maar zien het beetje geld voor de huur en een beker melk voor de kinderen bij elkaar te scharrelen. Lukte haar dat slecht, dan werd ze verbitterd en schold je de huid vol. Lukte haar dat een beetje beter, dan schold ze evengoed. Maar buitenshuis oogstte je aanzien om je geleerdheid en de trots daarop, waarin ook zij mocht delen, was haar troost. Zat er niets anders meer op, dan kon je het als huwelijksmakelaar proberen en zien een percentage machtig te worden van de huwelijksgift van de bruid. Maar wat begon je, als die er niet was, of wel beloofd maar nooit betaald werd, omdat haar vader al te optimistisch aan zijn eigen paar honderd roebels had geloofd? Kunstenaars waren er ook, en lang geen slechte. Kwam er een bruiloft tot stand, dan fiedelden ze en paukten, dat 't een lieve lust was en ook wel een beetje melancholiek. En kwam hun loon niet in geld, dan kregen ze tenminste één avond lekker en genoeg te eten.

Ze leefden van de lucht, de grote meerderheid van de zes miljoen Russische joden. En ze noemden zich ook zo. 'Luftmenschen,' zeiden ze, 'dat zijn we.' Alleen de spotvogel stierf onder hen niet uit. Mijn vader verhaalde van allerlei wonderlijke levenskansen, die zich hadden voorgedaan. Bij voorbeeld van een jood, die een nieuwe broodwinning had uitgevonden: als iemand bang was om alleen te slapen, verhuurde hij zich als 'Mitschlofer'. Tegen een kleinigheid per nacht was hij bereid de slaap of de slapeloosheid van de bange held te delen.

Aan de periferie van onze *mispoche* leefde een man, die in een laatste opflikkering van energie naar zulk een nieuwe levenskans gegrepen had. Als ik spreek over 'periferie der *mispoche*' bedoel ik heel iets anders, dan wij in West-

Europa gewend zijn onder 'familiekring' te verstaan. Natuurlijk *mispoche* betekent familie, maar wie behoort daartoe? Als iemand een aangetrouwde tante heeft wier achterneef in eerste echt verbonden was geweest met de kleindochter van een oudoom van moederszijde van diens zwager uit een tweede huwelijk, dan was de vrouw van de zoon van de zuster van die kleindochter nog altijd *mispoche*. Als je er niet uit kunt komen, krijg je nog geen onvoldoende op je rapport. Het is ook een beetje overdreven, maar niet helemaal. *Mispoche* omvatte een veel, veel ruimere kring van verwanten, dan wij hier te lande erkennen. En dat had zin. Want er bestond altijd tussen de leden der *mispoche* een zekere mate van verantwoordelijkheid over en weer. Je kon elkaar zo maar niet in de steek laten.

Laat ik kortheidshalve maar spreken over mijn 'neef' en de graad van verwantschap in het midden laten. Ik heb hem in zijn schamele woning ergens in Rusland op aandrang van de andere leden van de *mispoche*, waaronder mijn moeder, opgezocht. Dat kon eenvoudig niet anders. Waarom zou ik trouwens niet? Ik werd er ontvangen met thee en jam (die ze voor de gelegenheid wel ergens zullen hebben geleend) en met een uitbundige vreugde. Ook dat kon niet anders. Wat voor mij gold, gold immers ook voor hem. Er was *mispoche*, echte *mispoche*, op bezoek gekomen en dan nog wel uit het buitenland. Een mens wordt dus niet vergeten. God zij dank. De blijdschap daarover kwam tot uitdrukking in een overdadige stroom van zoenen van hem en zijn vrouw.

De brave man heette Kusieël. Dat is een voornaam. Hoe hij van achteren heette, weet ik niet en wist geloof ik niemand. Het kwam er ook niet op aan. Waar het op aan kwam, was, dat Kusieël, naar iedereen toegaf, die hem kende, 'a koschere nesjomme' was, waarmede men zeggen wilde, dat hij een zuivere ziel bezat.

Dat was trouwens geen wonder, want Kusieël was het enige kind geweest van een vader en een moeder, die jarenlang op hem hadden gewacht. Dat was op zich zelf al een teken, dat hij tot iets bijzonders voorbestemd was. Grote mannen laten altijd op zich wachten. Toen hij dan ook eindelijk verscheen, werd hij beschouwd als een juweel, dat hen op voorspraak van de profeet Eliah, door God geschonken was. En hij werd ernaar behandeld.

Zijn ouders brachten de in luiers gewikkelde Kusieël iedere week naar de bakker, die een grote weegschaal had om het deeg te wegen. In de ene schaal werd het kind gelegd, in de andere brood. Zijn gewicht aan brood werd iedere vrijdag onder de bedelaars verdeeld. Dat deden ze, totdat het kind geen luiers meer droeg. Aldus werd de lang verwachte Kusieël tot een natuurlijk bestanddeel van de *tsedoke*, de barmhartigheid, waardoor hij beschermd zou zijn tegen alle kwaad en gewijd tot al wat goed was in het oog des Heren.

Kusieël heeft volkomen aan alle verwachtingen beantwoord. Hij mocht natuurlijk geen handwerker worden, geen kleermaker en eerst recht geen schoenlapper, want wat weten zulke mensen van de oceaan van wijsheid, waarin de geleerde rondzwemt? Kusieël ging naar het cheder en vervolgens naar de jeschiwah, de leerschool der ouderen, die zich bekwamen in de thora.

Kusieël, het sieraad, zou een sieraad van geleerdheid worden in zijn geslacht. Jammer alleen, dat er iets begon te haperen. Of dat sieraad te weinig verstand of te weinig zitvlees had, moge in het midden blijven, hij kwam met de geleerdheid op gespannen voet te staan en Kusieël werd... niets, niets, hoegenaamd niets. Maar geen boze geest, die enige vat kreeg op de zuiverheid van zijn hart.

Dat kon je ook aan hem zien. Hij was een lange, magere man met ingevallen wangen en doffe lichtblauwe ogen achter dikke brilleglazen. Zijn dunne gele baardje, zijn holle borstkas, zijn gebogen rug, zijn lange armen en benen, alles drukte alleen maar uit, hoe hulpeloos deze man rondschuifelde over de wereld, tot niets in staat, dat ook maar zweemde naar een gevecht om het bestaan.

Toen hij rijp was om vader en moeder te verlaten, en 'een vrouw aan te hangen', zochten zijn

ouders een bruid voor hem en legden hem voor-
zichtig neer in haar armen. En zij, het kleine
kirrende vrouwtje, nam hem aan en koesterde
hem verder. Ze verlangde niets van hem en ze
verweet hem niets. Ze vereerde hem niet, want
ze wist niet, wat dat was, maar ze vond alles aan
hem eindeloos goed. Ze voederde hem als een
vogeltje en vertroetelde hem. Ze sprak hem niet
anders aan, dan met een verkleinwoord, ze be-
handelde hem, zoals zijn moeder altijd had gedaan, als een kind in de wieg. Ze kakelde tegen
iedereen, die ze tegenkwam, de grootste domhe-
den uit, want ze had nog minder verstand dan
hij. Maar met dat al had hij niets anders te doen,
dan de boosheid uit zijn armoedje te houden.
Het lukte volkomen. Hij bleef de barmhartigheid zelf.

Vader en moeder gingen dood en de paar roebel, die Kreine, zijn vrouw, ten huwelijk had
meegebracht, raakten op. Toen moest ze hem
voor de eerste keer van haar leven wel vragen:
'Kusieëltje, mijn kind, wat nu?' Bedelen, daar
was natuurlijk geen sprake van. De barmhartigheid geeft, maar vraagt niet. Lenen dat was iets
anders, maar op den duur, en niet eens zo'n lange duur, gaat je dat ook de keel uithangen. Dat
is op zich zelf al erg genoeg. Maar het gaat ook
de anderen de keel uithangen, bij wie je lenen
moet. En dat is erger.

Zo kwam Kusieël op een briljant idee: hij zou
naar de trein gaan om vreemdelingen, die de

stad bezochten, af te wachten en hun de weg te wijzen. Ook was hij nog sterk genoeg om hun koffer te dragen.

Aldus geschiedde. Mijn vader noemde hem sindsdien de 'vereniging voor vreemdelingen-verkeer'.

Zo iets is een heel aardige inkomstenbron. Er zit echter een moeilijkheid aan vast. Er moeten vreemdelingen zijn en als ze er zijn, moeten ze de weg niet kennen, en als je ze aanbiedt hun koffer te dragen, moeten ze niet zeggen: 'Donder op, vervelende vent.' In de stad van Kusieël nu, hadden maar heel weinig mensen van buiten iets te zoeken en als er al een kwam, wist hij de weg gewoonlijk wel zelf, en als hij een koffer bij zich had, placht hij precies te zeggen, wat hij in het belang van Kusieël juist niet zeggen moest. Waar nog bijkwam, dat dat juweel van een Ku-sieël wel een idee had, maar volstrekt niet het monopolie daarvan, zodat hij dagelijks aan de trein wel tien verenigingen van vreemdelingen-verkeer ontmoette, en tot zijn spijt moest erva-ren, dat de barmhartigheid het laatste is, dat je in de concurrentie gebruiken kunt.

Zo bleef Kusieël met zijn zuivere ziel dat, waartoe hij geboren en veroordeeld was: een 'niets'. Eén van de ontzaglijk velen in Rusland. Een 'Luftmensch'! Ik heb hem de tien roebel ge-geven, die mijn moeder mij voor hem in de zak gestopt had. Ik heb ze hem natuurlijk 'geleend'! Kusieël echter en Kreine met hem, hebben geweten, dat er niet alleen *mispoche* op bezoek gekomen was. De profeet Eliah was mee naar binnen gewipt. Ja, een mens wordt niet verlaten.

Ze hadden gelijk. Het is hun later helemaal zo slecht niet gegaan, zoals je nog zult horen. Het brood op de weegschaal heeft te langen leste het verwachte wonder verricht.

Denk vooral niet, wanneer je over de joden in Rusland leest, dat het de anderen daar, de Russen, de Polen, de Oekraïners, de Letten en de Litouwers, de Koerden en hoe die volken allemaal geheten hebben, beter is gegaan. Op zijn best ging het hen anders. Ik was mijn eigen nest gaan zoeken, en heb hen slechts in het voorbijgaan gezien. Ik kon trouwens niet anders. In geen enkel joods huis ontmoette je anderen dan joden, behalve dan een enkele dvornik (huisknecht) met wie je niet of nauwelijks praten kon. En in een ander huis kwam je niet. Je zou er ook niet, of niet dan met de grootste argwaan, zijn ontvangen.

Wat ik echter op straat heb gezien, is genoeg om iets te begrijpen van dat, waarvan wij in onze gezapigheid alleen maar met afschuw kennis nemen: de revolutie in haar wildheid. Rusland was, in de tijd, dat ik daar geweest ben, dat wil zeggen vóór de eerste wereldoorlog, zo iets als wij tegenwoordig noemen: een achtergebleven gebied. Het lag wel in Europa (en in West-Europa was het destijds ook niet alles), maar het bood zijn inwoners, of verreweg het grootste deel van hen, weinig dat op een menselijk bestaan leek. Zo kon je bij voorbeeld 's nachts in een stationswachtkamer wel eens een hoopje mensen zien slapen, vervuild, stinkend, met lappen aan de voeten in plaats van schoenen, lompen in plaats van kleren aan het lijf. Zij behoorden tot een van die groepen, die de houtvlotten langs de grote rivieren naar de havensteden af lieten zakken, waar het hout op schepen werd overgeladen. In maanloze nachten, als het varen gevaarlijk was, werden ze verlaten. Dan was er voor de bemanning nergens een huis, laat staan een bed om te overnachten. Dan moesten ze als de dieren onder het eerste het beste dak beschutting gaan zoeken tegen storm en regen. En als ze daar dan, zoals op het station, een fles wodka vonden, sloegen ze de bodem tegen de palm van de hand, zodat de kurk er van boven afvloog, gooiden er een hoop peper in, slurpten het op, vraten een stuk spek en gingen half op en over elkaar liggen snorken op de grond.

Ze waren niet veel beter gewend, ook thuis niet. Hun woningen waren krotten, gordijnen zag je niet. Ze waren niet nodig. Door de ruiten kon je toch niet zien. Die zaten dik onder de vliegen en de vliegedrek. Geleerd hadden ze niets. Het was al mooi, als ze konden lezen en schrijven.

Mijn moeder heeft mij verteld, dat er bij hen thuis een dvornik diende, die op een dag in de lente, toen het ijs ging kruien, op een schots de rivier was afgezakt en in haar dorp was gered. De man wist niet waar hij vandaan kwam. Hij kon zich de naam van zijn dorp niet herinneren. Hij wist alleen, dat hij een vrouw had achtergelaten en een dochtertje en kon ook aangeven, hoe groot ze ongeveer moest zijn. Ze hebben elkaar nooit teruggezien. Ze zochten niet. Voor zulke kleinigheden deed men toen geen moeite. Wat gebeurde, gebeurde, daar had je geen invloed op, veranderen kon je niets.

Stel je zulke mensen voor, als revolutionaire ideeën, waarvan ze de draagwijdte niet begrijpen kunnen, hun hersens binnendringen en vraag je dan af, waar de rem vandaan moet komen tegen hun bandeloosheid. Alles mag, wat gisteren nog verboden was.

In Skudi op de markt heb ik ze zien lopen en die waren dan nog zo'n beetje in goede doen. De markt werd op zondag gehouden, omdat ze dan naar de kerk gingen en na afloop gelegenheid hadden om langs de kraampjes der joodse kooplieden te slenteren en te proberen of ze, na eindeloos loven en bieden, een zweep konden kopen of een halster voor paard en koe, of een paar afgedragen schoenen konden machtig worden, of wat rommel, die nog bruikbaar was. Ook was daar meel te krijgen, suiker en dergelijke waar. Een enkele vrouw zat er met een paar kippen, die ze te koop aanbood en een andere wilde van haar geit af.

Ze hebben ook mij zien lopen in m'n lichtgroene flanellen pak, toen ik van de begraafplaats terugkwam en ze hebben me, evenals de hele bevolking van de heilige joodse gemeente Skudi, nagekeken, alsof er een exotische papegaai gevlucht was uit de kooi van een dronken zeeman.

De joden hebben me staande gehouden en vroegen, waar ik vandaan kwam en wat ik in hun stadje te zoeken had. Dat deden de joden overal, als ze een vreemdeling zagen. Zo'n gesprek begon dan met: 'Scholem aleichem' (letterlijk: vrede met u) 'waar komt een jood vandaan?' Ze waren verrast en verrukt, als ik hen in het Jiddisch antwoordde, dat ik toen vloeiend kon spreken.

'Aleichem scholem,' zei ik (met u zij vrede), 'ik kom uit Amsterdam, en wil hier een gevlochten havdole-kaars kopen.'

Amsterdam was voor hen niets dan een klank, die maar één enkele vraag opriep. 'Hoe gaat het onze broeders, de zonen Israëls, in Amerika?'

Ik probeerde hen uit te leggen, dat Amsterdam niet in Amerika, maar in Holland lag. Maar dat was voor hen precies hetzelfde.

Amsterdam was iets vers en onbereikbaars, zoals in mijn kinderjaren Skudi geweest was. En dat was Amerika ook. Er was in hun gedachten geen plaats voor geografie. Ik heb er dan ook maar van afgezien, verder de schoolmeester uit te hangen en vroeg opnieuw, waar de gevlochten havdole-kaars te koop was.

Maar ze lachten me uit. 'Een jonge man, nog wel gekleed als een moderne Amerikaan, komt me daar helemaal uit Amerika uitgerekend naar Skudi om een gevlochten havdole-kaars te kopen? Maak dat je grootje wijs.'

Ik moet erkennen, dat het er inderdaad nogal onwaarschijnlijk uitzag. Mijn brave Skudianen konden natuurlijk niet weten, dat mijn grootvader mij, toen ik naar hun dorp ging, gevraagd had om zulk een kaars voor hem mee te brengen. En daar ik schik in het geval begon te krijgen, heb ik hun dat ook niet verteld.

Mijn grootvader had de kaars nodig, om hem, als de sabbat voorbij was en hij met een zwaar hart afscheid van die dag moest nemen, aan te steken en bij zijn vlam de Schepper te prijzen van het 'licht en het vuur', en de koning der wereld te loven, 'die onderscheid maakt tussen heilig en profaan, tussen licht en duisternis, tussen Israël en de volken, tussen de zevende dag en de zes overige dagen', die maar gewone werkdagen zijn. *Havdolo* betekent dan ook niets anders dan 'onderscheid'.

Echt mooi is de 'kaars van het onderscheid' pas, als hij uit een vlecht van veelkleurige stengels bestaat, waarvan de buitenste wordt aangestoken, terwijl de overige de vlam langzaam overnemen. Blijkbaar is dat het symbool der geleidelijkheid of der aarzeling om weer over te gaan naar de banale dag. Onderscheid maken tussen licht en donker is goed en wel, maar moet niet te plotseling gaan.

Zulk een wonderkaars wilde mijn grootvader hebben en van mij was niet te verwachten, dat ik daarzonder terug durfde te komen.

Maar Skudi, dat mijn probleem niet kende, was niet van zijn stuk te brengen. Een gevlochten havdole-kaars is tenslotte geen kleinigheid. Het is geen speelgoed. De kooplieden op de markt wilden wel wat verdienen, maar lieten zich daarom nog niet bespotten. Al die onderscheidingen, waarvan de kaars getuigenis afleggen moest, bestonden in Amerika immers niet meer. Als ze er wél bestonden, zou de belangrijkste van alle onderscheidingen niet bestaan, te weten het onderscheid tussen Amerika en Skudi. En dus had ik geen gevlochten havdole-kaars nodig, ze was in elk geval voor mij niet te koop.

Het zag er somber voor mij uit en dat moet op mijn gezicht te lezen zijn geweest. Een oude vrouw in een kraampje op 't eind van de markt, kreeg medelijden met me. Ze was tot een compromis bereid. 'Als jij,' zei ze, 'mij laat zien, dat je een *tallis kóton* draagt, dan zal ik je een gevlochten havdole-kaars verkopen.'

Het tallis kóton (letterlijk: kleine tallis) ook wel *arba kanfous* (de vier hoeken) genoemd, bestaat uit een lap met dezelfde strepen als het tallis zelf, dat onder de bovenkleding over rug en borst gedragen wordt. Aan de vier hoeken bevinden zich de kwasten met de drie knopen, die ook het *tallis* kenmerken en *tsitsies* worden genoemd.

Over dit *tallis* met *tsitsies* bestaat een interessante psychoanalytische studie, waarvan je vader je meer vertellen kan dan ik. Er is die dag op de markt van Skudi een wonder gebeurd. Die Amerikaan, die het onderscheid niet meer kende tussen heilig en profaan, tussen sabbat en werkdag, om maar niet te spreken van het onderscheid tussen 'Israël en de volken', stak zijn hand in zijn hemd en haalde daaronder echte, ouderwetse, om zo te zeggen springlevende *tsitsies* vandaan.

'Alsjeblieft, hier zijn ze.'

De markt van Skudi antwoordde met sprakeloosheid. En het wonder plantte zich voort tot een nog veel groter wonder. Er werd een verbond gesloten tussen Amerika en Skudi. Ik heb mijn gevlochten havdole-kaars gekregen en bij de joden van Skudi en omgeving keerde het vertrouwen in het voortbestaan van Israël terug. Als de jeugd in Amerika *tsitsies* draagt, dan is de tweeduizendjarige ballingschap niet tevergeefs geweest en kan men met gerustheid aan de derde duizend jaar beginnen. Geloofd zij de grote naam van God. Zijn volk was nog niet verloren.

Maar dat wonder was, onder ons gezegd, zo groot niet als het leek. Mijn vader had mij gevraagd, de gevoelens van mijn grootvader te ontzien en vooral niet te vergeten een *arba kanfous* aan te doen, als ik bij hem logeerde. Ik had het ergens geleend.

Zo'n geleend ding is niets. Het moet van je zelf zijn en je moet erin geloven. Dan is het zo iets als een talisman. Al hebben talis en tallis niets met elkaar te maken, ze helpen beide. Je kunt je dat tenminste verbeelden. Het een brengt geluk aan, het ander beschermt je. Het is als een pantser, wel niet tegen kogels en wapens maar dan toch tegen andere gevaren. Verder is het een soort uniform, net als ieder ander. En net als aan ieder ander wordt ook hieraan magische kracht toegekend.

Toen wij kleine kinderen waren, kon mijn oudste zusje, als 't onweerde en als ze bang was voor de bliksem en de donder, bezorgd informeren, of ik mijn *tallis kóton* wel aan had. Maar ook toen al was ik niet altijd in staat haar gerust te stellen.

Ik ben er zeker van, dat de kleine Schmoelik dat wel had gekund. Hij droeg vast en zeker een *tallis kóton* onder zijn tot aan de hals dichtgeknoopt zwarte jasje. Schmoelik was een klein emigrantje, dat met zijn moeder en een hele scala van broertjes en zusjes onderweg was naar Amerika. Vader was een paar jaar geleden vooruit gegaan om de reiskosten voor de familie te verdienen. Het kleine tallis, dat Schmoelik beschermen moest, faalde. Toen hij zijn ondeugende hoofd even buiten het portier stak van de spoorwegcoupé zei de wind: 'floep' en weg, onherroepelijk weg, was zijn petje.

Zijn moeder begon te schreeuwen en gaf hem een draai om de oren. Schmoelik schreeuwde terug en binnen een ogenblik was de hele coupé in rep en roer, want een van de andere kinderen had de ontstellende vraag geopperd, hoe Schmoelik zonder petje Amerika zou kunnen binnenkomen. En moeder, spijtig om het nieuwe petje, dat ze pas van vaders zuur verdiende centen had gekocht, dreigde al, dat de kleine Schmoelik door de gendarmes van Amerika geweigerd zou worden en alleen naar Rusland terug zou moeten.

Door deze gedachte raakte de arme jongen in paniek. Toen heb ik maar ingegrepen en van de humane gezindheid der Amerikanen verteld. Schmoelik heeft me geloofd, want ik was in zijn ogen, op grond van mijn pak en hoed, in zulke zaken deskundig.

Schmoelik was een aardig kereltje, een jaar of tien jonger dan ik. Wat er van hem terechtgekomen is, weet ik natuurlijk niet. Misschien is hij wel pettenfabrikant geworden en heeft hij het een heel eind gebracht. Misschien worden de aandelen van zijn onderneming tegenwoordig wel in Wallstreet verhandeld.

Hij zou de enige niet zijn, die zijn heil buiten Rusland gezocht en gevonden heeft. Een onophoudelijke stroom van joden heeft zich sinds 1880 van uit Oost-Europa naar het Westen begeven. Ik heb meermalen in hun treinen gezeten, omdat ik benieuwd was naar hun ervaringen en verwachtingen.

Het was in Rusland niet uit te houden. Een golf van pogroms spoelde over het joodse woongebied. De joden wisten, dat de regering daar achter zat, en dat de rust daarom zo gauw niet terug zou komen. Ze waren verbijsterd. Maar ook in het buitenland had dit diepe indruk gemaakt. In ieder land en in iedere stad, die daarvoor in aanmerking kwam, begonnen joden verenigingen en comités op te richten en geld in te zamelen om hun 'vervolgde geloofsgenoten' te helpen. Ten dele was dat medelijden, ten dele eigenbaat. Want nergens was men erg gesteld op al te veel vreemdelingen. Van jaar tot jaar is dat erger geworden. Het liefst zond men hen door. Er was trouwens lang niet altijd werk of plaats genoeg voor al die nieuwe mensen.

In die stroom van joodse emigranten reisde in het jaar 1882 een familie mee, waarover Thea een paar jaar geleden bij toeval een stukje heeft gevonden in een destijds bestaand joods krantje. Hieronder volgt het. Het is het enige document, waarmee ik je zal lastig vallen. Al het overige, dat ik schrijf, heb ik alleen maar uit mijn herinnering opgediept.

Weekblad voor Israëlitische Huisgezinnen xIIe jaarg. No 49. 22 december 1882.

Rapport v. h. Comité ter tijdelijke verzorging

en bevordering der emigratie van verdrukte Russische Israëlieten, die te Amsterdam toevlucht zoeken.

Person, huisgezin met vrouw en 4 kinderen, 3 zoons en eene dochter, 1 zoon à 24 jaar, 1 à 18 jaar, 1 à 14 en een dochter à 19 jaar. Hoogst beschaafde en deftige familie. Het hoofd des gezins was koopman in granen. Reeds bij zijn komst te Amsterdam dwongen hij en de zijnen bij het Comité en het Plaatsingsbureau alle achting af. Beroofd van alle zijne bezittingen, zocht hij hier toevlucht, doch er was hier ter stede voor dat gezin geen middel van bestaan te vinden. Besloten werd een beroep te doen op het Bestuur der Maatschappy van Weldadigheid, waardiglijk voorgezeten door Mr. Bakker alhier, om de familie op de kolonie Frederiksoord als landbouwer te plaatsen. Op deze aanvrage werd door Bestuurderen goedgunstig beschikt. Het plaatsingsbureau onderhandelde met den Directeur der Kolonie. Er werd een proeftijd van 3 maanden wenschelijk geacht. Reeds na 2 maanden ontving het bureau de blijde tijding, dat dit gezin definitief geplaatst was.

Openlijk brengt het Bureau hulde aan de afdeeling Amsterdam, in het bijzonder aan den Directeur, wegens de humane en vriendelijke behandeling aan dit gezin bewezen. Dank aan den Opperrabijn te Meppel en allen, die dat gezin de hulprijke hand bieden.

Rebekka Person, ongehuwd, lid van bovengenoemde familie, heeft plaatsing gevonden bij den Opperrabijn Hillesum te Meppel

De 'dochter à 19 jaar' was mijn moeder. 'De koopman in granen' mijn grootvader. Ik ben er alleen niet zeker van, of deze weidse benaming wel helemaal op zijn beroep heeft gepast. In mijn jonge jaren heb ik tenminste nooit iets over 'graanhandel' gehoord. Ik heb mij altijd verbeeld, dat mijn grootvader in zijn geboortestad iets als een aannemer was bij de wegenbouw of een onderdeel daarvan. Het kan echter best zijn, dat hij ook weleens een zak kippevoer heeft verhandeld, en zelfs dat deze handel enige omvang had aangenomen. Misschien heeft hij twee beroepen gehad en hier aan zijn 'weldoeners' opgegeven, wat het makkelijkst in de mond lag. Zo nauw werd dat een kleine eeuw geleden niet genomen, zeker niet door een man als hij, in de positie, waarin hij verkeerde. Als een werkelijk groot en belangrijk koopman kan ik mij mijn grootvader echter niet voorstellen. Hij had daar wel de allure van, maar, dacht ik, niet de bekwaamheid. Hij zal tot de meer gegoede burgerstand hebben behoord, wat trouwens destijds in Rusland al heel wat was. Daarboven uit kwam bijna niemand. Ik leid dat af uit allerlei gegevens omtrent het vroegere levenspeil van zijn familie en de natuurlijkheid van haar latere pretenties.

In de burgerlijke, lang niet onvermogende

kringen, waarin ik in Rusland heb verkeerd, had zijn naam en had ook de familienaam van mijn grootmoeder een bekende en vertrouwenwekkende klank. Zij moeten daar dus wel deel van hebben uitgemaakt. Mijn beide ouders hebben in hun jeugd de honger stellig niet gekend.

Maar toen zij hier kwamen, werd dit anders. Wat in dit opzicht in het krantebericht vermeld wordt, zal wel juist zijn. Alleen weet ik weer niet of mijn grootvader 'beroofd' was van al zijn bezittingen, dan wel of hij deze heeft verloren door de algemene malaise, waaraan hij het hoofd niet kon bieden. Het laatste lijkt mij lang niet onwaarschijnlijk. Noch hij, noch zijn zoons hebben later, toen de gelegenheid zich daartoe voordeed, ooit grote commerciële talenten aan de dag gelegd.

Onwaar is, dat de familie op de kolonie Frederiksoord als 'landbouwer' geplaatst is. Ik wou wel, dat het waar was. Dan zou ik erop kunnen pochen, dat ik zowel van vaders als van moeders kant uit een boerenmilieu kom. Nu blijft mijn trots beperkt tot de kippen, de ganzen en de geit van Prekulln. In Frederiksoord stond destijds een kaasfabriek, waar kosjere kaas gemaakt werd. 'Bestuurderen van het Comité' zullen hebben gehoord, dat daar een opzichter nodig was over het kaschroet, en daartoe hebben ze mijn grootvader aanbevolen. Hij moest er dus op toezien, dat de kaas ook werkelijk zo bereid werd, dat ze naar eer, geweten en wet 'kosjer' genoemd kon worden. Hij heeft zijn best gedaan. Maar het 'Weekblad voor Israëlitische huisgezinnen', in zijn ijver om de weldadigheidszin zijner lezers te strelen, doet aan de waarheid opnieuw tekort. Het heeft namelijk niet lang geduurd, in ieder geval niet veel langer dan drie maanden, of mijn grootvader lag hopeloos overhoop met alle officiële kerkelijke instanties, die het voor het zeggen hadden. Hij vond hen maar een troep grote kwajongens en zonderde de opperrabbijn daarbij niet uit. Of hij nu een handelaar in granen of een aannemer geweest is, in talmudkennis en joodse geleerdheid stak hij hen allemaal in zijn zak. De opleiding van mensen als hij was ongetwijfeld minder systematisch en minder schools dan de hunne, daartegenover echter oneindig veel grondiger, dieper en breder. Zij was door jarenlange intense zelfstudie verworven en had ook een geheel persoonlijk karakter. Voor mensen als 'Reb Aron Person' betekende dit geen vak, en nog minder dilettantisme, het was levensvervulling. Al het andere met inbegrip van zijn broodwinning was bijzaak.

Hij was geen uitzondering. Hij volgde daarmee de levensstijl van de beschaafde jood uit zijn generatie. Er werd 'gelernt' (geleerd). 'Lernen' dat was de enige vrijetijdsbesteding. En men had veel vrije tijd. Men 'lernde' tot diep in de nacht, elke dag, die men leefde. Want 'als Gij de thora één dag verlaat, zal Hij u twee dagen verlaten'. Dat 'verlaten' betekende immers niet stilstand maar achteruitgang, zodat men na één dag zonder thorastudie twee dagen achterstand kreeg.

Er bestond geen basis voor begrip tussen mijn eigengereide grootvader en zijn chef, die rabbijn was en zelfs opperrabbijn, die prat ging op zijn titel en zich, van zijn kant volkomen terecht, daarop ook beriep. Maar die titel, dat was precies, waar de ander volslagen maling aan had. Hij was aan alles gewend, behalve aan discipline, en had nooit gehoord van organisatie. Op de kennis kwam het aan, op de levende mens, die deze bezit, niet op het examen, dat afgelegd of het diploma dat verkregen was. Wanneer hij nu nog maar gezwegen had, dan zou alles misschien nog met een sisser zijn afgelopen. Maar kom daar eens om bij een Russische jood met zijn gevoel van eigenwaarde, zijn eigen religieuze belevenissen, zijn ervaringen en beproevingen. Hij zwijgt niet. Hij is er te trots voor. Hij kan niet plooien, niet buigen. Hij mist het orgaan voor ondergeschiktheid. Hij zegt tegen de opperrabbijn, als hem diens beschikkingen aangaande de uitleg van een of andere tekst niet aanstaan: 'Mijnheer de Opperrabbijn, u bent een grote *am hoörets*'.

Nou, dat moet je precies tegen een opperrabbijn zeggen! Onder een *am hoörets* verstaat men een ongeletterd man, een rund. Het rund voelde zich diep in zijn waardigheid gekrenkt en het hele 'Comité tot tijdelijke verzorging van vervolgde geloofsgenoten', te zamen met het 'Bestuur der Maatschappy van Weldadigheid' en diens 'waardige voorzitter' gaven hem natuurlijk groot gelijk. De illusie van Frederiksoord was uit. De beschaafde en deftige maar bijzonder ondankbare familie moest nu maar zien, nu haar emigratie kennelijk niet 'bevorderd' worden kon, hoe ze het in Amsterdam verder rooide.

Dat heeft ze, zo goed en zo kwaad als dat ging, dan ook gedaan. De oudste zoon was daar trouwens achtergebleven, om te proberen een bestaan in de diamanthandel op te bouwen. Bij gebrek aan geld bleef hem niets anders over dan in de makelaardij te beginnen. Het is mislukt. Hij was een dromer en hij interesseerde zich voor politiek, zo niet als anarchist, dan toch op een anarchistische manier. Na een paar jaar is hij (het lijkt soms wel of dit bij zulke mensen behoort) aan tuberculose gestorven. Mijn moeder heeft hem verpleegd. Hij is een bijzonder ongeduldige patiënt geweest en is ontevreden en verbitterd over zijn lot en het lot der mensheid uit deze wereld heengegaan.

Bittere, bittere tranen hebben mijn grootouders om hem geschreid. Hij was het lievelingskind van de familie, aangewezen om, als oudste zoon, de erfgenaam te worden van haar geestelijk erfdeel. Hij was om zo te zeggen, de kroonprins. Daarbij was het hen volstrekt niet ontgaan, dat de nieuwe generatie hunkerde naar een nieuwe wereld en aan de drempel stond van een geestelijke revolutie. De inhoud daarvan kende mijn grootvader niet, maar hij wist wel zoveel, dat hij tot hen, die hem nastonden, zeide: 'Twee dingen weet ik zeker, één ding blijft twijfelachtig. Ik weet zeker, dat ik zal sterven als jood, ik weet ook zeker, dat mijn kleinzoon zal sterven als niet-jood. Hoe mijn zoons zullen sterven weet ik niet.'

Met hem zou de gouden keten der overgeleverde wijsheid eindigen. Hij mocht de laatste schakel zijn. Die opdracht werd er alleen kostbaarder, maar tevens zwaarder door. Pas toen ik geboren werd, heeft mijn grootvader zich laten troosten. De idee der zielsverhuizing was hem niet vreemd. In elk geval ben ik naar de dode genoemd, want de naam belichaamt het wezen.

Ontworteld door de vervolging, beledigd door de filantropie, miskend en gesmaad door de vertegenwoordigers van de officiële eredienst, verteerd van verdriet om het verlies van zijn oudste zoon, een vreemdeling in zijn omgeving, zo heeft mijn grootvader aanvankelijk verder geleefd. Als hij door de jodenbuurt liep, jouwden de straatjongens hem na om zijn grote baard en zijn vreemde verschijning. 'Rus, vuile Rus, brandstichter, ga naar Rusland.' Het leek wel, of hij elk verband met de wereld verloren had.

Ook hij kreeg van deze of gene, die nog door hem geïmponeerd was, een partijtje diamant om te zien of hij dat aan de man kon brengen. Ook hij mislukte. Want voor hem was het allemaal de moeite niet meer waard. IJdelheid der ijdelheden. En ook dat kon hij niet voor zich houden en ook dat heeft zich gewroken. Met het citeren van de wijsheid van de Prediker of van verzen uit de psalmen kun je geen zaken doen. De man was arm en is arm gebleven.

En toch heeft hij altijd de rijzige gestalte behouden uit zijn krachtigste jaren. Het hoofd omhoog, de ogen gericht op de hemel, zo schreed hij door de vijandige straten. Want 'Hij, Hij, Die in Zijn genade de levenden spijst, de doden in Zijn grote barmhartigheid doet herleven, Hij, Die de vallenden schraagt en de zieken geneest, Hij, Die de gevangenen bevrijdt en Zijn trouw bestendigt aan hen, die slapen in het stof', Hij was zijn toevlucht. Tot Hem heeft hij zich gewend en gezegd:

'Kijk vanuit de hemel en zie, hoe wij tot hoon en spot onder de volken geworden zijn. Wij worden als vee beschouwd, dat naar de slachtbank gevoerd wordt om vermoord en vernietigd te worden, om nederlaag en schande te ondergaan. En bij dat al hebben wij Uw Naam niet vergeten. Ach God, vergeet ook ons niet.'

Dit zijn de in onze tijd weer hoogst actueel geworden woorden uit de smeekgebeden.

Mijn grootvader was er zeker van, dat hij niet vergeten werd.

Wij zullen samen nog eens bij hem op bezoek gaan. Maar eerst willen we zien, hoe het de andere leden van de familie vergaan is.

VI

Wij slaan daartoe een aantal jaren over en zien hen dan levend in de gemeenschap, die de emigranten uit Oost-Europa in Amsterdam evenals in alle andere grote steden van Midden- en West-Europa hebben gevormd. Dat hebben ze niet voor hun plezier gedaan, ze konden eenvoudig niet anders. Er was van allerlei, dat hen daartoe dwong. Iets bijzonders is dat trouwens niet. Overal zie je, dat mensen, die uit een zelfde land komen, als zij zich in een ander land gaan vestigen, proberen bij elkaar te blijven. Ze zoeken elkaar op, ze gaan in elkaars buurt wonen, ze richten hun eigen clubs en verenigingen op. Dat is ook heel begrijpelijk. Ze hebben gemeenschappelijke herinneringen, die anderen niet hebben, spreken dezelfde taal, die anderen niet begrijpen en hebben ook dezelfde moeilijkheden om zich aan hun nieuwe omgeving aan te passen. Bij de joden komt daar dan nog bij, dat zij een eigen godsdienst hebben en daardoor sterker dan anderen op elkander aangewezen zijn.

Je zou zo zeggen, dat die godsdienst voor de Russische joden voldoende moest zijn om zich, in Amsterdam aangekomen, bij de Nederlandse aan te sluiten. Zo eenvoudig liggen de dingen echter niet. De godsdienst is alleen van buiten bekeken dezelfde. Kijk je van binnen uit, dan blijken er allerlei verschillen te bestaan, die, hoe onbelangrijk ze ook mogen zijn, door de onderscheiden groepen moeilijk kunnen worden overwonnen. Al zouden die verschillen trouwens volkomen ontbreken, dan nog voelen Oost- en Westeuropese joden zich maar in de verte aan elkaar verwant. Ook als ze de beste vrienden zijn (wat lang niet altijd het geval is), dan houden ze nog het gevoel van bij elkaar op visite te zitten, als ze elkander opzoeken. Visite nu is gezellig, maar ze moet vooral niet al te vaak aan komen kloppen.

Zo was het tenminste destijds, toen de eerste 'verdrukte Russische Israëlieten', zoals het kranteartikeltje het uitdrukt, 'te Amsterdam hun toevlucht kwamen zoeken'. Zo is het later (na 1933) ook geweest ten aanzien van de Duitse joden, toen grote aantallen van hen over de Nederlandse grenzen kwamen. Zo zal het wel altijd blijven. Vreemdelingen, van wie je niet verwachten mag, dat ze vandaag of morgen weer op zullen hoepelen, zijn nooit en nergens en bij niemand bemind; zodra ze aanstalten maken om ingezetenen te worden, begint de oude ingezetene bedenkelijk te kijken. En dat merken ze natuurlijk maar al te goed.

Er zijn uitzonderingen, zowel in het ene als in het andere kamp. Ook is het voorgekomen, dat vreemdelingen met een zekere vreugde zijn ingehaald, omdat ze verstand hadden van dingen, waar men in het land van hun binnenkomst geen raad mee wist. Ook de joden hebben dit in de lange geschiedenis van hun zwerftochten wel meegemaakt. Die vreugde duurt dan niet lang. Zodra men de kunst van hen heeft afgekeken, pleegt het met de liefde uit te zijn.

Er is geen reden geweest, om de Russische joden, of in het algemeen, joden uit Oost-Europa, hier met bijzondere ingenomenheid te ontvangen. Ze hadden niets te bieden. Er was ook geen reden om hen te weigeren. De traditie van gastvrijheid verzette zich daar tegen. Ze hinderden bovendien niemand. Zo vonden ze hier veiligheid, vrijheid en rust. Ze waren er dankbaar voor en begonnen hun leven in te richten.

Er hebben van de aanvang aan eigenlijk twee gemeenschappen van Oosteuropese joden in Amsterdam bestaan, als men tenminste uitgaat van hun concentratiepunten: de sjoelen. Eén was gevestigd in de Swammerdamstraat, aanvankelijk boven een stalhouderij, later op de hoek van de Blasiusstraat. De tweede vond je in de Nieuwe Kerkstraat, niet ver van de Plantage. Ze bestaan trouwens nog. De eerste werd voornamelijk door Russische joden bezocht, de andere door joden uit Polen en Galicië. Er bestond tussen hen ook een verschil in gezindheid. In de Kerkstraat verzamelden zich meer de chassidiem, in de Swammerdamstraat hun tegenstanders, met een Hebreeuws woord aangeduid als: misnagdiem. Wat dat te betekenen heeft, zal ik je nog wel vertellen.

Het onderscheid was niet absoluut. In de

loop der jaren is dat meer en meer vervaagd. Maar voelbaar was het altijd. Tussen beide groepen heeft ook een verschil bestaan in uitspraak, zowel van het Hebreeuws als van het Jiddisch. Ze spraken een verschillend dialect. Dit op zich zelf was al reden genoeg voor een zekere spot. Verachting is het nooit geworden, maar wederzijdse waardering nog minder.

Mijn vader behoorde als Russische jood tot de groep van de Swammerdamstraat. Daar zijn wij dan ook jarenlang ter sjoele gegaan. Daar ben ik ook 'barmitzwah' geworden, dat wil zeggen voor de eerste keer ter thora opgeroepen. Barmitzwah wordt een jongen als hij dertien jaar wordt. Vanaf die dag heet hij persoonlijk verantwoordelijk voor het inachtnemen der religieuze geboden. En dat is nogal wat. Vanaf die dag geldt hij ook als volwassen in godsdienstige zin, zodat hij meegeteld kan worden als het erom gaat het tiental van het minjan vol te maken. Vóórdien is zijn vader verantwoordelijk voor hem. Wanneer hij op de dag van zijn barmitzwah voor het eerst voor de thora verschijnen moet, zegt zijn vader dan ook: 'Geloofd zij Hij, die mij uit mijn verantwoordelijkheid ontslagen heeft.' Mijn vader vertelde het verhaal van een vader, die zei: 'Ga jongen, neem afscheid van de thora.' Alleen wie de ontwaarding van de joodse godsdienst kent, zal de bittere humor daarin kunnen proeven. Hij bedoelde: 'Het is vandaag met al je verantwoordelijkheid je eerste en je laatste keer.' Het verhaal is op mij min of meer van toepassing geweest.

De sjoel en ook de dienst werden uitsluitend geleid door leken. Dat maakte daarvan de grote bekoring uit. Behalve de sjammes (koster) werd niemand bezoldigd. Alleen leden van de gemeente, meestal kooplieden van beroep, traden op sabbat en feestdagen als voorzangers op, hetgeen vooral niet moet worden onderschat. Het eiste belangrijke kennis en nog veel grotere toewijding. Zij bezaten beide, en dat gaf je vertrouwen in hun ernst. Hun stemmen waren niet geschoold, hun muzikaliteit liet nogal te wensen over, de oude melodieën kwamen niet tot hun recht, maar zij zongen met grote gevoeligheid. Wat er aan schoonheid ontbrak, werd door overtuiging vervangen. Het was allemaal eerlijk en echt. De ordelijkheid en het decorum, waarop zoveel prijs wordt gesteld in westerse synagogen, ontbraken nagenoeg geheel. Wat alleen gold was de spontaniteit van het hart.

Veel en veel sterker was dat nog in de sjoel in de Kerkstraat, waar de religieuze ontboezeming ongebreideld en bijna wild aan de dag kon treden. De vurigheid van het gebed werd er niet getemperd, want dat gold als verstandelijk en koud. Billijk was dit oordeel niet, maar wie kan billijkheid verlangen van mensen, die door de hartstochtelijkheid van hun geloof worden meegesleept?

Zo was er, vooral in de aanvang, nogal het

een en ander, dat de nieuwelingen van de oude ingezetenen verwijderd hield. Het natuurlijke wantrouwen, dat de nieuwkomer altijd ontmoet, maakte de afstand nog breder. Hij van zijn kant was ook niet in staat uit zijn eigen huid te kruipen en van vandaag op morgen te begrijpen, wat gisteren nog volkomen vreemd voor hem was. Aldus is van lieverlee een eigen Russisch-joods milieu in deze stad ontstaan.

Hoe zijn al die mensen – het waren er hoog uit niet meer dan een paar honderd – toch in Amsterdam terechtgekomen, en waarom zijn zij niet ergens anders naar toe gegaan? Dat wisten zij zelf niet. Hoogstens kun je zeggen, dat Duitsland niet in aanmerking kwam, omdat het hardvochtig was, ook toen al.

Dat is geen theorie. De conducteur in de trein, de politieagent op straat, de ambtenaar achter zijn loket, de kelner, die een kop koffie verkocht, de verkoopster in de winkel, ze hadden voor de joodse vluchteling alleen maar een snauw over. Ik heb, toen ik uit Rusland terugkwam, meegemaakt, hoe honds hij behandeld werd. Het antisemitisme gold voor hem van oudsher als *made in Germany*. En hij had geen ongelijk. In verband daarmede was de hooghartigheid van de Duitse joden, die van immigratie van joden uit aangrenzende landen alleen maar een toeneming van het antisemitisme te vrezen hadden, nog veel afstotender dan die uit verderliggende gebieden. Desondanks zijn er niet weinig emigranten in Duitsland gebleven. De nood deed zijn werk.

Maar wanneer je dan niet naar Duitsland ging, waarheen dan? Gaf men zich al rekenschap van een vaste bestemming en liet men zich niet eenvoudig waaien als een blad door de wind, dan dacht men aan het liberale Engeland, dat met zijn hoog ontwikkelde industrie wel mogelijkheden bieden zou. Het sterkst lokten uiteraard de Verenigde Staten van Amerika met hun vrijheid en open toekomst. Maar wat doe je, als je daarheen onderweg bent, en je merkt ineens, dat je reisgelden op zijn? Of als je min of meer toevallig tegen een broodwinning aanloopt, waarmee je het voorlopig proberen kunt? Of als je een lotgenoot ontmoet, die ergens al wat gevonden heeft en tegen je zegt, dat er voor jou misschien ook nog wel een plaatsje te vinden zal zijn? Dan ben je blij, dat je niet verder hoeft en je blijft, waar je bent. In Amsterdam was het vooral de diamanthandel, die kansen bood. Vergeet niet, dat deze handel en ook de diamantindustrie voor een overwegend groot deel in joodse handen berustten. Dit was zo sterk, dat de Amsterdamse diamantbeurs tot aan de Duitse bezetting op zaterdag gesloten en op zondag geopend was. Het was een uniek verschijnsel in de hele wereld. Met de meeste kantoren, diamantslijperijen en andere werkplaatsen ging het evenzo. Des zaterdags lagen ze stil, des zondags werd er gewerkt. Van een vijfdaagse werkweek was toen nog geen sprake.

Een enkeling had wel degelijk een plan in het hoofd. Zijn doel bestond hierin, dat hij ergens vandaan moest, maar waar naar toe, dat wist hij niet. Dus besloot hij naar een stad te gaan, wier naam met een A begint. Hij had dan de keus tussen Antwerpen en Amsterdam, en dat was dan al iets concreets. Als 't in geen van beide steden zou lukken, kwam Brussel aan de beurt. Zou het ook daar niet gaan, dan zou hij verder trekken. Voor hij aan Zaltbommel of aan de Zuidpool toe was, zou hij wel wat gevonden hebben.

De mensen denken daarom vaak, dat emigranten geen vaderlandsliefde kennen. De Duitsers met hun *Blut und Boden* spreken van *vaterlandslose Gesellen*. Niets is onrechtvaardiger. Juist het moeilijk gevonden en moeilijk te verwerven vaderland maakt dit voor iedere emigrant, waar hij ook vandaan komt en wie hij ook is, zo kostbaar. Misschien is dat anders voor de emigré, dat is de landverhuizer, die ervan droomt, dat hij bij het keren van het getij ook zelf terug kan keren. Deze droom komt bij de verdreven jood niet voor. Hij is een emigrant en geen emigré, en wat hij ook droomt, dit niet. Het duurt dan ook niet lang, of hij hunkert ernaar volledig in zijn nieuwe vaderland op te gaan. Het is toch ook niet zijn tweede maar zijn eerste vaderland. Tevoren heeft hij nooit een vaderland gekend.

Het lukt hem beter of slechter, het lukt hem

nooit helemaal. Dat zal hij op een goeie dag op de een of andere manier bemerken. Het is niet zijn schuld, hij heeft zijn best gedaan.

De samenhang van emigranten, waar ter wereld ook, berust op ervaringen, maar zegt omtrent hun idealen niets. Zo was het ook in het milieu, waarin ik groot geworden ben.

De mensen, die daartoe behoorden, herinner ik mij voor het merendeel vrij goed. Zij vormden niet enkel in religieuze, maar ook in maatschappelijke zin een tamelijk gesloten gemeenschap. De meeste woonden in enkele straten, zoals de Blasiusstraat en de Ruyschstraat, dicht bij elkaar. Slechts geleidelijk hebben ze zich over enkele andere buurten verspreid. En nu ik mijn geheugen raadpleeg, valt het mij op, in welk een sterke mate zij op elkander aangewezen waren.

Als je je schoenen moest laten lappen, bracht je ze naar een Russische schoenmaker. Maar je gaf ze niet gewoon af en ging dan weer weg, je werd uitgenodigd om te blijven eten. Ik heb dat meer dan eens gedaan, overigens niet tot mijn genoegen. Niet omdat het er in dat kinderrijke gezin ongezellig was, maar omdat de schoenmakersvrouw de hebbelijkheid had de aardappelen nooit gaar te koken. Als je een pak nodig had, was het de Russische kleermaker, die 's avonds met zijn stalen kwam en de maat kwam nemen en dan thee bleef drinken om over de politiek en alles en nog wat te bomen. De bakker was een Russische jood, die zaterdags te gast was en dan eindeloos uitpakte over de problemen van zijn bakkerij. Ze waren inderdaad zeer groot. De man is er zenuwpatiënt van geworden en mijn ouders hebben daar heel wat mee te stellen gehad. Er bestond altijd een zekere vertrouwelijkheid. Net of je familie van elkander was. Ook bij voorbeeld met de groenteboer. Hij kwam iedere dag met zijn kar aan de deur en wandelde dan, of er nu wel of niet wat gekocht werd, rechtstreeks de huiskamer binnen om een sigaret te draaien van het pakje shag, dat op de schoorsteen stond. Het dienstmeisje – overigens ook een Russisch-joods meisje – had er het land over, dat die ruige zware kerel met zijn vuile schoenen telkens weer het vloerkleed bevuilde, en zette de shag in de keuken neer om hem uit de kamer te houden. Maar hij vond, dat zij niets over 'zijn' shag en 'zijn' kamer te vertellen had, en bracht de shag op de oude plaats terug, waar ze, naar zijn zeggen, beter van smaak bleef. Des maandagsmiddags kwam er een juweel van een oud grijs mannetje koffiedrinken, om na afloop linnengoed te verkopen. Dat deed hij elke dag bij een andere emigrantenfamilie en daartoe sjouwde hij met een zwaar pak en een maatstok van de een naar de ander. De visboer noemden we Neptunus, vanwege zijn grote wilde baard, die altijd vol van schubben zat. Hij wist precies wat zijn klanten nodig hadden.

De koffie en de thee werden geleverd door een oud vrouwtje, een vriendin van mijn grootmoeder, tegen wie ze altijd klaagde over haar man. Terecht! Hij kwam uit Petersburg (tegenwoordig Leningrad), wat er al op wijst, dat hij tot de joodse geldaristocratie had behoord, want alleen zij had het recht om daar te wonen. Hij was volslagen verarmd, deed niets en was ook tot niets in staat. Maar zijn stand hield hij op. Zijn geklede jas mocht dan van ouderdom glimmen, ze vertoonde geen smetje. Zijn schoenen waren onberispelijk gepoetst, ook al waren de zolen versleten. Hij had een welverzorgde grijze sik, een welwillende glimlach voor iedereen, die hij ontmoette, en altijd een sigaret tussen de lippen. Niet omdat hij een hartstochtelijk roker was, maar blijkbaar omdat dat tot de voornaamheid behoorde. Zijn oude, groen geworden dophoed heeft hij, geloof ik, zijn hele leven nooit afgenomen, ook niet in de kamer en misschien niet eens in bed. Als hij al eens een keer aan tafel genodigd werd, kwam hij niet. Want hij kon zich niet revancheren. Hij verkeerde eigenlijk met niemand en niemand verkeerde met hem. Wat had hij ook te maken met het ordinaire volk, dat het leven in Petersburg niet kende en nooit gewandeld had op Nevsky Prospekt? Onze aristocraat leefde van het handeltje van zijn vrouw. Toen hij stierf, werd hij, als zoveel aristocraten in de wereld, van de armen begraven.

Het kon gebeuren, dat ik, als ik thuiskwam van school, een oude man op de canapé in de kamer vond slapen. Hij had een kip verkocht, zijn schoenen uitgetrokken en was een dutje gaan doen. Was hij uitgerust, dan rekte hij zich lekker uit, zette zich aan tafel, schonk zich een glas thee in uit de samowar, die op tafel stond te dampen, kwakte daar een lepel jam in en slurpte het op, een klontje suiker in de mond. Niemand, die er enige aanstoot aan nam.

Er waren wel rangen en standen. De plaatsen aan de oostelijke muur in sjoel, waren voor de rijken bestemd, de ballebattiem (enkelvoud baäl bajis, letterlijk huiseigenaar, in het Nederlands verbasterd tot bolleboos). Gelijk in rang met hen en eigenlijk nog hoger stond de thorageleerde. Maar dan kwamen de anderen, die in volgorde van hun afnemende gegoedheid afzakten naar de westelijke muur. Vervolgens kwamen de handwerkslieden en ten slotte de armen.

Mijn vader heeft niet aan de oostelijke muur willen zitten, hoewel hem daar een plaats was aangeboden, toen hij in goede doen kwam. Hij was daar te verlegen voor en zocht een plaats in het midden uit.

Vrijdagsavonds na het avondgebed stonden aan de deur in sjoel altijd een aantal arme emigranten, die op doortocht waren naar Engeland of naar België. Reizigers voor Amerika had je hier niet, alleen al omdat er van Amsterdam uit geen boten naar dat land vertrokken. Het waren de armsten der armen, meestal arbeiders, die voortgeholpen wilden worden. Ging de sjoel dan uit, dan koos ieder die hier woonde, de ballebattiem in de eerste plaats, zich een of twee, een enkele keer drie van die emigranten uit en nam hen mee naar huis. Hij had dan een 'gast aan tafel', hetgeen niet weinig bijdroeg tot de wijding van de sabbat. In mijn jongensjaren heeft zulk een gast op vrijdagavond bijna nooit ontbroken. Vaak waren het er twee. Het was juist de grootste attractie van vrijdag naar sjoel te gaan, dat je met een van die vreemde mannen mee terug mocht komen. Als je dat een enkele keer niet lukte, bij voorbeeld omdat er geen gasten waren, of omdat een ander de laatste voor je neus had weggekaapt, was de vrijdagavond bedorven. Ik heb mij laten vertellen, dat er weleens ergens in een sjoel van Oosteuropese joden hooglopende ruzie ontstaan is over de verdeling der 'gasten'. Maar zelf heb ik dat tot mijn grote spijt nooit meegemaakt.

Denk nu niet, dat het allemaal naastenliefde was, wat de klok sloeg. Verre van dat. Maar één ding stond vast: het mocht niet voorkomen, dat een joodse vreemdeling op vrijdagavond zijn feestmaal niet kreeg, of buiten de sfeer van het joodse gezin moest vertoeven. In de eindeloze geschiedenis van de joodse zwerftochten is dat dan ook nooit gebeurd.

Aan tafel werd er natuurlijk gepraat over de herkomst van de vreemde en over zijn doel en hoe hij dat zou kunnen bereiken. Soms werd hij ook voor de volgende dag uitgenodigd, vooral door chassidiem, voor wie de derde sabbat-maaltijd bijzondere betekenis heeft. Als hij geen nachtverblijf had, werd daarvoor gezorgd. In de Manegestraat, een klein straatje tussen de Nieuwe Kerkstraat en Nieuwe Prinsengracht, waar wat arme Russische joden woonden, was voor twee kwartjes per nacht altijd wel een kamertje te vinden. Als ze de weg niet wisten, werden ze daarheen gebracht. Het is vooral mijn jongste oom geweest, de 'jongen à 14 jaar' uit het kranteberichtje, die daar groot in geweest is.

Want hij was een goedhartig man. Hij had zelfs geen andere eigenschap dan goedhartigheid. Zulke mensen komen, dacht ik, vrij veel voor. Ik heb er tenminste verscheidene in mijn leven ontmoet. De mensen noemen hen 'dwazen' (in goed Jiddisch 'narren') maar zij houden van hen. Mijn oom heeft in zijn hele leven onder alle omstandigheden, ook al waren ze verre van rooskleurig, nooit een groter plezier gekend dan een ander een plezier te doen. Wij hebben hem allemaal heel lief gehad. 'Wij' is eigenlijk iedereen, die met hem in aanraking kwam.

Daarbij was hij, zoals zoveel emigranten, een onzeker en besluiteloos man. In zijn jeugd had hij geen opleiding gehad, en wat hij dan nog geleerd had, kon hij in de vreemde wereld, waarin hij werd overgeplaatst, niet gebruiken. Misschien kwam zijn goedhartigheid wel voort uit zijn nooit geheel bevredigde behoefte, om contact met anderen te krijgen. Hij moest helpen,

raadgeven, troosten en, als 't enigszins ging, ver-
plegen. Anders was hij niet gelukkig. Bij ieder
ongeluk op straat was hij haantje de voorste, en
als er ergens verdriet geleden werd, moest hij
erbij zijn. Voor iedere hoofdpijn had hij een as-
pirientje, voor ieder wondje de pleister. Waar
hij het vandaan haalde, weet ik niet. Hij had het.

Hij heeft het in vele beroepen geprobeerd, en
is – zoals zulk een man betaamt – iedere keer
weer gestruikeld. Totdat hij in Parijs terechtgekomen is in de handel in halfedelstenen. Ik ver-
denk hem ervan, dat ook dit niet toevallig was.
De bonte schittering van robijnen, topazen,
smaragden, amethisten, turkooizen en zo meer,
hebben hem sterker gefascineerd, dan de win-
sten, die daarmee te behalen waren. Zij zijn dan
ook van beperkte omvang gebleven. Overigens
kon je zo'n steen altijd cadeau doen en dat was
een voordeel te meer.

Hij heeft een zeer elegante Franse vrouw getrouwd, maar zijn huwelijk is kinderloos gebleven. Zulk een man krijgt geen eigen kinderen.
Hij neemt kinderen aan, een wees of een moeilijk opvoedbaar kind. Dan kan hij zich pas in
zijn liefde te buiten gaan, hij kan zich alle offers
getroosten, zonder daartoe van nature verplicht
te zijn. Dat heeft hij dan ook gedaan. Als antwoord daarop werd de liefde om hem heen weer
groter.

In zijn oude dagen, zestig jaar ongeveer na
zijn eerste emigratie, volgde de tweede, of liever

gezegd, de zoveelste. Dit keer was het niet Nicolaas, die hem verdreef, maar een zekere heer Adolf. Na allerlei omzwervingen is hij ten slotte in New York terechtgekomen, waar hij, door weinigen gekend, maar door hen allen diep betreurd, de rust heeft gevonden, die tegelijk zijn laatste en zijn eerste was.

Mijn andere oom, een jaar of wat ouder dan hij, had een knobbelneus. Als hij op visite kwam, herinnerde mijn moeder zich, dat ze aardappelen bestellen moest. En als hij met een ernstig gezicht neuriënd door de kamer ging lopen, betekende dat, dat hij geld wou lenen. Hij hield bijzonder veel van lekker eten en naar de markt gaan om zelf de vis te kopen. Toen hij na de dood van zijn vader getrouwd was, vertoonde hij voortdurend de neiging naar de meest excentrieke woningen in straten, wier bestaan nog niemand ontdekt had. Oude, vochtige benedenhuizen met half verzakte kamers en een tuintje daarachter, hadden zijn voorkeur. Dat tuintje deed het hem. Er moest een grasperkje worden aangelegd en dat perkje moest de vorm hebben van de zespuntige Davidsster.

Verhuizen was zijn lust en zijn leven. Op een keer was Amsterdam hem blijkbaar te eng geworden en zocht hij het ergens in een dorp bij Utrecht. Daar hadden ze nog nooit een jood en zeker geen Russische jood in hun midden gezien. Wat was dat voor een griezelige vent, met z'n rare grasperk. En waarom kocht hij het vlees niet bij de slager in het dorp en bracht hij het iedere dag mee uit Amsterdam? Wisten ze veel van de wetten van Mozes en Israël! Het duurde dan ook niet lang of er ontwikkelde zich die vijandschap, die je ook wel kunt waarnemen in een kippenhok, als daar een vreemde kip in verdwaalt, of bij honden, als er één uit een vreemd dorp op bezoek komt. In Rusland was zo iets uitgedraaid op een pogrom, in Utrecht werd de man beschuldigd van een of ander zedenmisdrijf en de veldwachter kwam hem halen. De opschudding en de verontwaardiging van het deftige dorp kenden nauwelijks grenzen. Daar de aanklacht echter kant noch wal raakte, werd mijn brave oom na drie of vier dagen uit de voorlopige hechtenis ontslagen. Hij bracht in zijn zak een stuk kommiesbrood mee, dat hij in het huis van bewaring gekregen had. We moesten er allen een hap van eten, want 'als in Gods beschikking is bepaald, dat je in je leven gevangenisbrood moet eten, dan was daardoor aan die beschikking voldaan!' Zo gemakkelijk echter laat de Heilige, geloofd zij Hij, zich niet oetsen. Mij tenminste heeft die hap gevangenisbrood later niet voor Westerbork en Bergen-Belsen behoed.

Nadien is hij wel rustiger geworden. Maar er gaat een hele tijd overheen, voordat een kip een plaats op de stok in een vreemd kippenhok verworven heeft. Mijn oom leed aan de bekende emigrantenziekte: hij kon zijn lig in de wereld niet vinden. Ten slotte is dat dan, zo goed en zo kwaad als dat ging, in Antwerpen gelukt, waar het door een groter toevloed van Oosteuropese joden makkelijker was dan in Amsterdam. Ik geloof, dat hij en later ook zijn beide zoons, hun brood hebben gevonden in de handel in industrie-diamant of in een dergelijk beroep.

Maar ook hier heeft de machtige Adolf ingegrepen. Ook hier gold het eerst te vluchten naar Zuid-Frankrijk en vervolgens zo mogelijk over de Pyreneeën naar Spanje. Wie op die zwerftocht zijn natuurlijke dood niet stierf, had de grootste kans in Auschwitz te eindigen. Van de familie is niemand overgebleven. Alleen zijn vrouw heeft na de oorlog Amsterdam, waar ze geboren was, weergezien. Van haar eigen uitgebreide familie vond ze alleen één broer terug. Verweduwd en van haar kinderen beroofd, is zij aan de vooravond van haar 80ste verjaardag in een ziekenhuis gestorven. Wij hebben haar daar bezocht, maar zij heeft ons weggestuurd. Zij was een zeer eenvoudig mensje. Ze wilde alleen gelaten worden.

VII

Mijn grootmoeder las de *tsennerenne*. Het is de Jiddische verbastering van de Hebreeuwse woorden *tseënah oereënah*.

Jiddisch is een prachtige taal. Het is omstreeks het jaar 1000 in Frankenland spontaan ontstaan en heeft zich uit velerlei elementen, Duits, Hebreeuws en andere talen, die in de landen, waar joden woonden, gesproken werden, in tal van dialecten ontwikkeld. Jiddisch is typisch een vaderlandsloze, kosmopolitische taal, onuitputtelijk in zijn woordenschat, eindeloos in de nuancering zijner uitdrukkingswijzen. Het is onvertaalbaar, omdat de gevoelens, waarvan het getuigt, elders geen corresponderende gevoelens vinden. Maar in zijn uitspraak is het bijzonder slordig. Er bestaat niet zo iets als een algemeen beschaafd Jiddisch, zoals er een algemeen beschaafd Nederlands bestaat. Dat kan ook niet. Iedereen spreekt naar het hem invalt, in klanken, die hem het best liggen, zonder enige schoolse discipline. Vooral het Hebreeuws wordt vervormd en bijna onherkenbaar verminkt. *Tseënah oereënah* wordt in één woord *tsennerenne*. Die Hebreeuwse woorden vind je in het Hooglied 3-11. Daaraan zijn ze ook ontleend. Letterlijk betekenen zij: *Gaat uit en ziet*. De hele passage bevat een opwekking aan de dochters van Zion om te gaan kijken naar een prachtige stoet. Koning Salomo komt voorbij in zijn rijkbewerkte draagstoel, met de lijfgarde van zestig zwaarbewapende officieren om hem heen. Hij heeft de kroon op het hoofd, die zijn moeder hem op zijn bruiloftsdag heeft opgezet, toen er vreugde heerste in zijn hart.

Voor de schrijver van het boek *tsennerenne* (ik houd mij nu maar vanwege de vertrouwelijkheid aan de Jiddische benaming) was dit alles allegorie. Die koning is helemaal geen koning, maar de wereldlijke uitdrukking van iets, dat veel hoger staat, namelijk *die Toire*. Dit is dan weer de Jiddische verbastering van *thora*. Hij wil de joodse vrouwen opwekken zich daarin te verdiepen, en laat daartoe de *Pentateuch* (de vijf boeken van Mozes) voorbijtrekken in vol ornaat, dat wil zeggen uitgedost en omhangen van alle mogelijke verhalen en uitspraken uit de *talmud* en de *midrasch*. De *talmud* is een zeer omvangrijke verzameling van rabbijnse discussies, aanknopende bij de *mischnah*, de leer, die ook geacht werd van Mozes afkomstig te zijn, doch naast de *thora*, mondeling was overgeleverd en in de derde eeuw na Chr. schriftelijk is vastgelegd. Onder *midrasch* verstaat men in het algemeen de verhalen, gelijkenissen en dergelijke van religieuze strekking, die in omloop zijn.

De *tsennerenne* is omstreeks 1590 geschreven door een rabbijn uit een stadje in de omgeving van Lublin in Polen. Het boek heeft een weergaloze invloed gehad op het gedachtenleven in het joodse gezin. Het aantal van zijn oplagen is niet te tellen. Men schat dit op honderd of meer. Een vrouwen*bijbel* kan men het niet noemen, omdat het zich tot de vijf boeken van Mozes bepaalt. Maar deze heeft het dan ook voor de joodse vrouw, die geen opleiding kreeg, en dus geen Hebreeuws verstond, door zijn gewone volkstaal volledig toegankelijk gemaakt.

De gemiddelde joodse huisvrouw las dit boek niet één keer en zette het dan weg, zoals wij tegenwoordig een boek plegen te lezen, maar zij las het dagelijks, zij las het voortdurend, zodra de keuken of de kinderen haar daartoe gelegenheid lieten. Zij las het aan de hand van de afdeling uit de *thora*, die die week in sjoel werd voorgedragen. En als ze het uit had, begon ze opnieuw, jaar in jaar uit. Alles wat daarin voorkwam, alle uitspraken van wijzen en geleerden, waarnaar daarin verwezen werd, al zijn uitleggingen van een woord of een letter uit de Schrift, geloofde ze onvoorwaardelijk. Alle levenslessen, die het bevatte, volgde ze op. Zij dronk zijn woorden in, zij proefde ze op de tong en, of ze dit nu wel of niet begreep, ze genoot ervan. Iets anders had ze ook niet. Of dacht je soms, dat de *Libelle* al bestond of *Margriet?* Mijn grootmoeder was zo'n gemiddelde joodse huisvrouw.

Haar *tsennerenne* was in de loop der jaren oud geworden. De harde kaft was er allang af, het boek lag altijd omgevouwen op de pagina, waar ze gisteren opgehouden was en vandaag weer beginnen moest. De hoeken en de randen der bladen waren half vergaan, het papier was bruin en vettig geworden, maar mijn grootmoeder verslond de honderd keer verslonden verhalen met nooit aflatende spanning. Conan Doyle met zijn Sherlock Holmes zou er jaloers op geworden zijn.

Wat waren dat dan allemaal voor verhalen? Laten we beginnen bij het begin. Dat is dan tevens het begin van *die Toire:* 'In den beginne schiep God de hemel en de aarde.' Maar wat zegt dat? Rabbi Jacob ben Jitschak uit Janovo, die de *tsennerenne* geschreven heeft, zet de fantasie van zijn lezeressen aan het werk: Bij de eerste schepping van hemel en aarde, vertelt hij, was de aarde woest en leeg. Dat is niets nieuws. Dat staat al in de bijbel, maar dat de 'eretroon van God zweefde in de lucht boven het water' dat staat er niet bij. En toch is het zo. Want hij zegt het zelf. En dan komt direct een heel belangrijke vraag. *Die Toire* begint met het woord *Bereschies* (in het begin) en dus met een B. Waarom begint *die Toire* niet met een A? Het antwoord is volkomen afdoende. De B is het woord van *Bajis*, dit is huis. Hij heet ook zo. B is in het Hebreeuws Beis (Bajis). Hij bestaat in zijn oorspronkelijke vorm uit een vierkant, dat aan een zijde open is. Aldus ⊐. Dat is ook de plattegrond van een huis, want een huis heeft drie muren en een deur. *Die Toire* nu begint met een B, omdat hij een huis is, dat voor iedereen openstaat. Geen mens, jood of niet-jood, of hij kan binnenkomen. Laat ze maar proberen de deur te sluiten! Dat gaat niet. Dan is de B geen B meer, het huis geen huis, en de *Toire* geen *Toire*.

Alles goed en wel, daar is misschien mijn grootmoeder mee tevreden, maar de A is niet tevreden. Hij vliegt tot God en beklaagt zich. 'Ik ben de eerste letter van het *Allef-Beis* (het ABC) en dus behoor Jij, God, de *Toire* te laten beginnen met een A.'

Wat zegt de Heilige, geloofd zij Hij? Hij zegt: 'Ik heb die *Toire* geschapen ter wille van de Tien Geboden. En de Tien Geboden zal ik laten beginnen met een A. Daarom luidt het eerste woord van het eerste Gebod: *Anochi*, dit is *Ik ben*. Nu is de A dus ook tevreden en kunnen we verder gaan.

Op gezag van Rabbi Jacob ben Jitschak heeft mijn grootmoeder geweten, waarom de mens geschapen is. Zonder ernstige tegenstand in de hoogste regionen is dat niet gegaan. De meeste engelen waren daartegen, want, zeiden zij, de mens is niets dan leugen, kent geen vrede en zoekt alleen maar twist. Wat heeft God daarop gedaan? Hij heeft de Waarheid beetgepakt en op de aarde geworpen en hij sprak: De mens is beter dan jullie allemaal. Jullie hebt alleen maar verstand en alleen maar de drang naar het goede. Jullie bent dus gedoemd om eeuwig vroom en goed te blijven. Maar de mens op aarde, die heeft de drang naar het kwade en deze verleidt hem altijd tot slechtheid. Daarom staat hij, als hij vroom en goed zal zijn, boven jullie, engelen. Maar omdat hij, zoals jullie zegt, altijd vol leugens zit, en altijd vechten en zondigen zal, zal ik hem laten sterven. De vrees voor de dood zal hem vroom maken. Zijn heilige ziel zal ik terugnemen om hem te louteren, en zo zal zij de eerste plaats innemen aan mijn eretroon, en ik zal haar nooit verliezen.

Met die menselijke ziel is de *tsennerenne* trouwens zo gauw niet klaar. Ze heeft vijf namen: geest, ziel, adem, kracht en leven. En, anders dan bij andere schepselen, is er strijd in deze ziel. Als de mens iets goeds wil doen, komen zijn boze impulsen en houden hem daarvan terug. Wanneer hij echter zondigen wil, komen zijn goede impulsen en proberen dat te beletten. Zo leeft de mens iedere dag in strijd met zich zelf. Maar waarom heeft God de mens dan met die onvrede geschapen en niet met rust? Dat heeft Hij ter ere van die mens gedaan, opdat hij de macht zou hebben te besluiten tussen goed en kwaad. Dieren hebben die macht niet. Zij *moeten* slecht zijn. Engelen hebben die macht niet. Zij *moeten* goed zijn. Alleen de mens heeft die macht en in zoverre is hij gelijk aan God. Hij kan handelen naar zijn eigen wil. Dit betekent het, als er geschreven staat, dat de mens geschapen is naar Gods evenbeeld.

Daarop zijn de engelen natuurlijk lofliederen

gaan zingen, toen Adam geschapen werd. Maar toen was het weer niet goed. Want God heeft de slaap over Adam heengeworpen en de engelen daar bijgeroepen om hen te tonen, dat zij toch beter waren dan hij. In de slaap immers kan niemand doen wat hij wil, noch ook kiezen tussen goed en kwaad. Engelen echter slapen niet. Zij zijn altijd wakker en worden daarom *de waken-den* genoemd.

Ik weet niet, of mijn grootmoeder de puzzel ooit heeft opgelost. Is de mens nu beter dan de engelen, of zijn de engelen beter dan hij? Ik weet alleen, dat zij, beter of slechter, geen mens maar een engel geweest moet zijn. Zij heeft nooit de keus tussen goed en kwaad gekend, want de strijd in de menselijke ziel was aan haar voorbij-gegaan. Zij was klein en gebogen, een sierlijk oud vrouwtje met een mooi gerimpeld gezicht. Zij droeg een donkere pruik, als alle vrome ge-trouwde joodse vrouwen. Dat bracht de kuis-heid mee. Zij hield van een snuifje en wij hebben haar een mooie zilveren snuifdoos gekocht, toen wij vermoedden, dat zij zeventig jaar werd. Ze-ker wisten wij dat niet, want er bestond in Rus-land geen burgerlijke stand, zodat niemand pre-cies wist, hoe oud zij was en op welke datum haar verjaardag viel. Men vierde die ook niet. Maar zo ten naaste bij kon men wel berekenen wanneer men geboren moest zijn.

Zij diende. Zij diende God, haar man en kin-deren. Zij kookte en bakte. De aardappelpannekoekjes van mijn grootmoeder hadden haar de Nobelprijs gebracht, als deze voor aardappel-pannekoekjes gegeven werd, wat helaas niet het geval is. Wij stalen ze uit de pan, als zij zich even omdraaide, want als ze pas gebakken zijn, zijn ze het lekkerst. Dan werd de oude vrouw kwaad, gooide lepel en mes op tafel en ons uit de keuken, waarop we besloten te staken. De eerstvolgende keer, dat ze bakte, bleven we weg. Toen kwam ze binnen, kuchte, scharrelde wat rond, zocht erg opvallend naar de *tsennerenne* en toen we vroegen, wat er aan de hand was, zei ze verlegen: 'Ik ben aan 't bakken.'

Als mijn grootmoeder een kip kocht, was het niet zo maar een handeltje. Natuurlijk werd de kip van voren en van achteren betast, bekeken en gewogen en werd er afgedongen op de prijs. Maar de kip was voor de sabbat bestemd en op de sabbat kreeg iedere jood een bijzondere ziel. Ook dat had ze uit de *tsennerenne* geleerd, en die kon het weten, want die had het, evengoed als alles, wat hij verder vertelde, weer van oude-re wijzen, aan wie je nog minder twijfelen mocht dan aan hem. Die ziel was hemelse vreugde en moest een passende woning hebben. Alles wat met de sabbat samenhing, was voor-bereiding voor de ontvangst van die ziel en in-richting van die woning. Daarvoor werd een hele week gewerkt en geleefd. De inkopen be-gonnen op donderdag, het witte tafelkleed werd op vrijdagmiddag gespreid, de kaarsen voor het invallen van de avond aangestoken en gezegend. Het eten en drinken behoorde daartoe en daarbij in het bijzonder de kip. Neen, neen, als mijn grootmoeder een kip kocht, was dat geen triviale zaak. Bestond er wel iets triviaals?

Waarom deed zij dat? Waarom werd 't vlees kosjer gemaakt? Waarom werd het zout daar overheen gestrooid als een *Spritzregen?* Waarom werden de potten en pannetjes voor vleeskost en melkkost met eindeloze chicanes uit elkaar gehouden? Omdat duizenden jaren geleden 'Mozes onze leraar' *die Toire* op de berg Sinaï ontvangen had. Ware dit niet gebeurd, dan zou dit alles zinloos geweest zijn.

Die Toire is niet alleen wat er staat. Elke letter bevat een speciale bedoeling. Die hebben de geleerden daar door eeuwenlange studie en beraadslaging uitgepeuterd. Die geleerden zijn dus met permissie zo iets als religieuze notekrakers. Omdat er geschreven staat, dat je het kalf niet mag koken in de melk van de koe, mochten drieduizend jaar later mijn grootmoeders soepterrine en melkkoker niet in hetzelfde water worden afgespoeld en niet met dezelfde handdoek worden afgedroogd. Uit een enkele zin van de *Toire,* werden dikke wetboeken afgeleid. Men noemt dit: 'Bergen, die hangen aan 'n haar' en men is er trots op.

Sommige mensen vinden, dat dit niets meer met godsdienst te maken heeft, omdat daaraan alle spontaniteit en warmte ontbreken. Als dat waar is, dan hebben vingeroefeningen ook niets met muziek te maken, en dat beweert niemand. Op zijn best kun je zeggen, dat het tot de techniek behoort. Maar waarom zou godsdienst de enige menselijke bezigheid zijn, die het zonder techniek kan stellen?

Daar komt nog een heel andere bedoeling bij. Toen de joodse staat en daarmede het geestelijk centrum van het volk te gronde werden gericht, is zeer bewust, ter handhaving van de eigen godsdienstige begrippen, een nationale discipline voor het hele dagelijkse leven ingevoerd, waaraan iedere jood en jodin onderworpen werden. Het ging erom, zoals dat heette, een 'omheining om de Leer' te scheppen. Daarbij kon het natuurlijk niet uitblijven, dat de 'omheining' veelal ophield middel te zijn en doel werd op zich zelf. De opvolging van de minutieus uitgewerkte wet kreeg voor menigeen een dwangmatig karakter. En toch heeft dit, tot vreugd van de een en ergernis van de ander, een eigen joodse sfeer geschapen en eeuwenlang bijgedragen tot het voortbestaan van de eigen groep in een geheel anders georiënteerde, en meestal vijandige, wereld.

In de tien bekeringsdagen tussen het joodse nieuwjaar en de Grote Verzoendag, ging mijn grootmoeder, te zamen met wat er aan andere oude vrouwtjes in sjoel te vinden was, naar de Amstel. Ze namen allemaal hun *tsennerenne* mee of misschien een gebedenboek, dat weet ik niet meer. En daar aan de Amstel stortten ze hun 'zonden' uit, waarbij ze als symbool de zakken van hun jurken binnenste buiten keerden. De Amstel, die voor die gelegenheid geacht werd een 'stromende rivier' te zijn, zou die zonden meevoeren naar de eindeloze zee waarin ze, volgens de onfeilbare profetie van de profeet Micha, zouden verzinken. Die plechtigheid voltrok zich in een botenhuis van de een of andere roeivereniging, zo dicht mogelijk bij het water. Daar drongen de dames in door. Wat de jonge acht van Nereus, die juist aan het trainen was, daarvan heeft gedacht, interesseerde haar minder. Hoofdzaak was, dat zij haar zonden kwijt waren.

Maar wat waren dat dan voor zonden, waaronder de dames zo diep gebukt gingen? Ook dat vind je in de *tsennerenne*. Luister maar:

Rabbi Jehoschua zegt in naam van Rabbi Levi: God heeft erover nagedacht, uit welk lichaamsdeel van Adam Hij Eva zou scheppen. Heeft Hij gezegd: 'Ik zal haar niet scheppen uit het hoofd van de eerste mens, want dan zal ze erg groots zijn. Zij zal het hoofd te hoog dragen. Als Ik haar schep uit een oog, zal ze overal in willen gluren. Als Ik haar schep uit een oor, zal ze alles af willen luisteren. Schep Ik haar uit de mond, dan zal ze te veel praten; uit het hart, dan zal ze iedereen benijden; uit de hand, dan zal ze alles willen hebben; uit de voet, dan moet ze overal naar toe. Daarom zal Ik haar nemen uit een lichaamsdeel, dat verborgen is. Dat is een rib, die je alleen maar ziet, als iemand naakt is. Maar het heeft allemaal niets gegeven. Ik heb haar niet uit het hoofd geschapen, en ze is toch groots geworden. Ik heb haar niet uit een oog geschapen en toch moet ze alles zien; ik heb haar niet uit een oor geschapen en toch wil ze horen, wat ze helemaal niet horen mag; niet uit het hart en toch is ze jaloers op iedereen; niet uit de hand en toch wil ze alles hebben; niet uit de voet en toch dribbelt ze overal naar toe.'

De vrouwtjes aan de Amstel waren er diep van overtuigd, dat ze al die slechtigheden bezaten, die God juist in haar had willen vermijden. En waar raak je je schuldgevoel beter kwijt, dan bij de roeivereniging Willem III?

Mijn grootmoeder geloofde. Wat kwam het erop aan, of ze wist, wat dat te betekenen had? Ze vroeg er niet naar. Vrouwen dachten niet. Dat lieten ze aan de mannen over. Ze deed, wat er geboden was en ze nam aan, dat God haar en haar kinderen zou belonen, als ze dat deed. Beloonde Hij haar niet, dan was dat háár schuld en was ze de beloning blijkbaar, ondanks al haar moeite, niet waard. Dat God haar en haar kinderen echter straffen zou, als ze het niet of niet tot in de uiterste puntjes deed, daar was geen twijfel aan. In elk geval was God goed en rechtvaardig.

Als ik het leven van mijn grootmoeder overzie, dan geloof ik, dat zij over God niet te klagen had. De rekening-courantverhouding, waarin zij, als alle vrome vrouwtjes, met Hem stond, bevatte aan de passieve kant wel heel wat verdriet, maar daar heeft toch minstens evenveel tegenover gestaan. Zij is heel oud geworden en heeft in haar laatste jaren vrede genoeg gekend, om het oude zeer te vergeten. En dat is heel wat meer, dan van menig ander kan worden gezegd.

Die rekening-courantverhouding daar zit je voortdurend mee, als je godsdienstig bent. Ze klopt niet. Den rechtvaardige, den *zaddik*, gaat het slecht en den slechten mens, die zich aan God en gebod niets gelegen laat liggen, gaat het goed. Dat is in strijd met dat wat je beloofd is. Het is een oud probleem, waar je, al denk je er nog zoveel over na, niet uitkomt. Je kunt wel zeggen: 'God weet wat Hij doet,' maar dat betekent toch alleen maar, dat je het zelf niet weet. Totdat je langzamerhand begint te begrijpen, dat het helemaal niet om de beloning gaat, maar dat het pas de moeite waard is, om een *zaddik* te zijn, als je daar tegenover niets te verwachten hebt, niets van de mensen en niets van God, niets op deze wereld en niets in het hiernamaals, hoe dat er ook uit mag zien.

Het is alleen een hele toer tot zulk een begrip te komen. Dat lukt alleen maar een enkeling, zelfs onder de zaddikiem. Gewoonlijk moet je je toevlucht nemen tot de troostende gedachte, dat er wel hulp zal komen, als je je geen raad meer weet. Want de Heilige, geloofd zij Hij, mag de mensen dan straffen, Hij verwerpt hen niet.

Ten bewijze daarvan, begin je elkander dan verhalen te vertellen:

Toen Adam uit het paradijs verdreven werd, heeft God de engelen van de tweedracht met een flikkerend zwaard aan de oostelijke toegang opgesteld, om de mens de weg naar de boom des levens te versperren. Maar de engel Azriël (hetgeen betekent: God is mijn hulp) kwam tussenbeide en kreeg verlof om de verdreven Adam, als hij verdwalen zou in de onbekende wereld, de weg te wijzen. Sindsdien dwalen beiden over de velden en wegen tot zij elkander tegenkomen.

Dan is er nog de profeet Eliah, die de lijdende mens beschermt en nooit nalaten zal hem in de hoogste nood te helpen. Ik heb een verhaal gehoord van een man, wie het zo slecht ging, dat hij de profeet verwachtte. Maar de profeet kwam niet. Daarop is hij hem gaan zoeken. Maar hij vond hem niet. Hij zocht hem overal en dagenlang, maar de profeet Eliah ontmoette hij niet. Toen keerde hij naar huis terug en het was net of hij blij werd. Want hij begreep, dat het hem, die de profeet gezocht heeft, en hem niet heeft gevonden, ook niet werkelijk slecht gegaan kan zijn.

Ook heb ik het verhaal gehoord van een man, wie het in de wereld zeer goed was gegaan. Hij had zoveel eer en macht en rijkdom verworven, dat hem niets meer te wensen overbleef. Maar hij voelde zich ongelukkig, want hij had het geloof van zijn jeugd verloren. Hij riep het terug, maar hoeveel moeite hij ook deed, het kwam niet. Toen herinnerde hij zich uit zijn kinderjaren, hoe hij bij zijn grootvader thuis de seider vierde, en, hoe bij het schenken van de vierde beker wijn, die op die avond gedronken wordt, Eliah onzichtbaar binnenkwam, en er voor hem ook een beker werd neergezet. Daar het nu de dag voor het joodse Paasfeest was, besloot hij, ten einde raad, naar de jodenbuurt te gaan, om te zien of hij de profeet kon vinden, en of deze hem helpen wilde.

Hij vond hem ook. Op de hoek van een straat stond een oude man, die, toen hij hem zag, op hem toeging en zei: 'Kom, ik heb op je gewacht.' Dit kon niemand anders zijn dan de profeet Eliah, die immers in alle gedaanten verschijnen kan, ook in die van een bedelaar.

'Mijn vrouw heeft nog niets voor het feest,' zei de man, 'want ik heb geen geld.' Daarop gingen zij samen inkopen doen. De arme kocht, de rijke betaalde. Matses, vlees en vis, en echte wijn (geen rozijnenwijn) en alles wat voor een ware seideravond nodig was. Ook kochten zij wat kleren.

Toen wilde de rijke afscheid nemen, maar de arme vroeg bescheiden: 'Kom aan mijn seider vanavond.' En de rijke ging bij Eliah te gast en vroeg zich af, hoe het wezen zou, als de profeet de vierde beker neer zou zetten, die immers voor hem zelf bestemd was.

De seider werd gevierd in stijgende vreugde, tot het ogenblik kwam van het verwachte wonder. En het wonder gebeurde. De arme nam een beker, schonk hem vol, zette hem neer voor zijn gast en zei: 'Drink en denk niet, dat ik niet weet, dat jij het bent, jij grote en goede profeet Eliah, op wie ik zo lang gewacht heb.'

Toen wist de rijke man waar hij zoeken moest, wat hij verloren had.

Nog een derde verhaal heb ik gehoord, dat ik je wil vertellen. Er was in Amsterdam een Russische jood van voorname afkomst en grote geleerdheid. Hij was, wat de bijbel zegt van Noach: 'onder zijn tijdgenoten een rechtvaardig man, een man zonder fouten. Hij wandelde met God.' Laten we hem daarom Reb Noach noemen. *Reb* is geen titel, met rebbe of rabbijn heeft de benaming maar heel in de verte iets te maken. Men zegt het tegen ieder, in wie men iets voelt van een aristocraat.

Reb Noach wilde de sabbat ontvangen, die ook wel 'prinses' wordt genoemd of, zoals in het mooie lied, dat op vrijdagavond wordt gezongen: 'de bruid'. Een prinses of een bruid moet men natuurlijk waardig ontvangen, maar reb Noach kon dat niet. Want hij was verarmd en had geen cent meer in huis.

Hij ging daarom, hoe zwaar het hem ook viel, naar de diamantbeurs, waar hij lid van was en waar hij vele goede vrienden had. Hij vroeg een rijksdaalder te leen. Nu, wie zou reb Noach zo'n kleine lening weigeren? Hij kreeg zijn rijksdaalder, stak hem in de zak, prees God om zijn goedheid en zijn gever daarbij, en ging, van alle zorgen bevrijd, naar huis om de 'bruid te begroeten'.

Onderweg werd hij staande gehouden door een schnorrer (bedelaar). 'Gut sjabbes, reb Noach, wat ben ik blij, dat ik u zie. Ik heb geen cent om de sabbat te ontvangen. Help mij, en God zal u zegenen.' De bedelaar wist, dat reb Noach een voornaam, geacht en menslievend man was in zijn tijd. Zo zag hij er ook uit. En reb Noach wist het ook. Hij nam de rijksdaalder tussen duim en wijsvinger, verontschuldigde zich, dat hij toevallig geen kleingeld bij zich had, en gaf hem aan de bedelaar.

Zij hebben beiden, ieder op zijn manier, de prinses ontvangen. Hun vrouwen ook. De een heeft gescholden, de ander gezegend. Maar wie van beide mannen gelukkiger was, is moeilijk te zeggen.

VIII

Als je een emigrant bent in een vreemd land, dan heb je geen etiket. Alle andere mensen hebben dat wel, al geven ze zich daar geen rekenschap van. Ze hoeven hun naam maar te noemen en iedereen weet, wie zij zijn. En als iemand die naam niet kent en weten wil, met wie hij te maken heeft, dan kan hij daarnaar informeren. Wie dan Piet heet van voren en Jansen van achteren en uit dit of dat dorp komt, hoeft zijn relaties maar op te geven en hij zal het vertrouwen vinden, dat hij nodig heeft. Daarbij is het om het even, of het om krediet gaat voor zijn handelszaak, om een baantje, dat hij graag hebben wil, of om een meisje, naar wie hij vrijt. Zijn familie, zijn milieu, zijn herkomst betekenen iets, tenminste in het normale geval, en dat helpt hem, als hij er behoefte aan heeft ergens in de beoordeling van anderen een plaats te vinden.

Maar wie is Chaïm Finkelstein uit Bialostok? Niets! Hij is een fles, waar niet op staat, wat erin zit. Zo'n fles kan de heerlijkste drank bevatten, hij is voor de winkelier onverkoopbaar, want de klant wil hem niet hebben. Zo ook is Chaïm voorlopig waardeloos. Hij heeft niets aan de klank, die zijn naam vroeger gehad heeft, ook al was die nog zo goed. Al komt hij uit nog zo'n voortreffelijk nest, er is niemand, die dit iets zegt. Ga eens informeren in Bialostok! Geen mens, die eraan denkt, of daar wijzer door worden zou. Dus moet Chaïm Finkelstein, voordat de deur voor hem opengaat, beginnen met het leveren van bewijzen, die voor een ander reeds in zijn visitekaartje opgesloten liggen. En dat kan buitengewoon moeilijk zijn.

De vreemdeling probeert het op alle mogelijke manieren, maar gewoonlijk begint hij aan de verkeerde kant. Hij onderstreept zijn vreemdheid. Neem bij voorbeeld de Duitse joden, die, toen Hitler aan de macht kwam, naar het buitenland zijn uitgeweken. Bij alles wat zij zagen en ondervonden, hadden zij er het handje van te zeggen: *Bei uns. Bei uns war es besser.* Ze werden erop aangekeken, maar ze bedoelden toch niets anders dan de aanduiding van hun eigen kwaliteit. *Bei uns* betekent in het Hollands vertaald: Ook ik heb een etiket en wat daarop staat, is helemaal zo slecht niet. Het geeft me recht op een zekere erkenning.

Aan de andere kant begrijpen ze ook zo gauw niet, wat er rondom hen heen gaande is. Het is net of ze een boek beginnen te lezen bij het vijfde of tiende of zoveelste hoofdstuk. Ze kennen het begin niet. Ze hebben het niet meegemaakt.

Het boeit hen natuurlijk wel en het interesseert hen ook hoe het afloopt. Maar dat wat ze zelf hebben meegemaakt van de aanvang aan, dat boeit hen veel meer. Bij de afloop blijven zij persoonlijk betrokken, ook al ligt er een wereld tussen hun gisteren en hun vandaag.

Bij de emigrantenfamilies uit Rusland was dat niet anders. Ze konden zich nog zo bewust zijn van hun definitieve breuk met het verleden, er ging iets in hen om, als ze hoorden dat Alexander de Derde vermoord was en Nicolaas de Tweede de troon besteeg. Bij ons thuis werd de krant gespeld tijdens de Russisch-Japanse oorlog. De belegering van Port-Arthur, de slag aan de Yaloe, de gevechten in Mantsjoerije, werden gebeurtenissen, waar ik om zo te zeggen bij was. De revolutionaire woelingen, de instelling van de eerste doema, leefden we mee. En we waren altijd partij. We vochten met Japan, we haatten Pobjedonostjev en de Zwarte Honderd, en de bom, waardoor Stolypin getroffen werd, sloeg ook in bij ons. Wie kent deze en honderden andere namen en feiten nog? Alleen de historici van beroep en de emigranten uit Rusland.

Wie herinnert zich nog het Beilisproces, voor wie hebben steden als Kiev, Homl en vooral Kisjinev nog levende betekenis? Alleen voor hen, die als kind de verbittering over het bloedsprookje hebben beleefd en de woede over de pogroms van 1905.

De gevolgen waren trouwens ernstig genoeg. De stroom van emigranten uit het oosten zwol geweldig aan. De 'Comités ter tijdelijke verzorging en bevordering der emigratie van verdrukte Russische Israëlieten' beleefden een hoogconjunctuur. Nieuwe werden er overal opgericht. Het aantal mannen, dat vrijdagsavonds in sjoel op een gastvrije tafel stond te wachten, werd te groot. Zij hadden trouwens ook op andere dagen een maaltijd nodig en op andere nachten een bed. De oude emigranten waren niet vergeten wat zij zelf hadden meegemaakt en kwamen de nieuwe te hulp. Zo in Europa en zo in Amerika.

Mijn oom, de barmhartige, was er het eerst bij. Mijn vader volgde. In Amsterdam werd, net als in allerlei andere steden, een tehuis gesticht, waar doortrekkenden een paar dagen of weken konden verblijven en een passagebiljet kregen naar het volgende station op hun tocht naar een vaste bestemming. Het huis is nu afgebroken. Het stond in de Weesperstraat no. 2. En wie was er conciërge? Herinner je je Kusieël en Kreine nog uit een van mijn vorige brieven? Hem is altijd voorspeld, dat het brood zijner eerste kinderjaren hem zegenen zou. Een hele stoet van 'verenigingen voor vreemdelingenverkeer' heeft hem benijd, toen hij met zijn vrouw en zijn bundeltje bagage naar Amsterdam vertrok. En hoe zouden ze hem hebben benijd, als ze hadden gezien, hoe hij hier zijn dagelijks brood en zijn rust genoot, en daarenboven elke dag naar de Russische sjoel kon gaan, vlak bij huis nog wel in de Kerkstraat. Máar niet alleen dat. Ze zijn gestorven vóórdat Hitler hen halen kon en hebben dus zelfs een graf in de aarde gevonden.

In Rusland zelf heerste in de jaren vóór de eerste wereldoorlog onder de jeugd een chaotische onrust van politieke ideeën, verlangens en verwachtingen. Niemand scheen rijp te kunnen worden. Het sterkste is mij de melancholie bijgebleven, die ik overal tegenkwam en die wel besmettelijk leek. De poging tot zelfmoord was bepaald mode. Je deed eigenlijk pas mee, als je daarop bogen kon. Een enkele keer gelukte die, maar dat was de bedoeling niet. Het had bij een poging moeten blijven. Had ze succes, dan was daar verder geen eer meer aan te behalen. Je moest vooral neerslachtig zijn, dat was interessant. Chaotisch en rommelig was het leven. Eten deed je, wanneer je daar trek in had. Dan ging je naar de kast en haalde eruit, wat er toevallig te vinden was. Met slapen gaan was 't al even zo. Ik herinner mij een jongeman, die dagen en dagen lang liep te zeuren, omdat hij met zijn broek aan was wakker geworden. En hij wist toch vast en zeker, dat hij hem voor hij naar bed ging, had uitgetrokken.

De joodse jeugd had voor het grootste deel de godsdienst de rug toegekeerd. Wat had ze daarvoor in de plaats gekregen? Vage verlangens en idealen. De mogelijkheden tot studie en andere geestelijke verdieping waren echter uiterst beperkt en bij lange na niet voldoende om de behoefte te dekken. Daar had de reactionaire regering wel zorg voor gedragen. Wie tot enige ontwikkeling wilde komen, moest deze in het buitenland gaan zoeken. Dat deed hij dan ook, als hij er de middelen toe had. Had hij die niet, dan probeerde hij dat evengoed. Het hongerleven in de universiteitssteden van Duitsland of Zwitserland zou niet veel erger zijn dan thuis en de vrijheid zou alles vergoeden. Je kon er debatteren. Daar zijn dan ook de Trotzki's de Chaim Weizmanns te lijf gegaan over socialisme en zionisme, de Rubashows raakten er slaags met de Sokolows, de Kaganowitzen met de Schmarja Levins. Enkelen revolteerden nog sterker. Ze trokken naar Palestina en wierpen zich op de lichamelijke arbeid, die plotseling in aanzien kwam. En dat was pas een revolutie! Ze gingen moerassen droogleggen en de aarde bewerken. In hun bagage namen ze de zedelijke idealen van hun voorvaderen mee te zamen met die van de klassenstrijd. Onder hen bevonden zich de latere presidenten en ministers van Israël. Maar vraag niet, hoeveel er aan malaria en andere rampen te gronde zijn gegaan.

Wie aan de godsdienst vastgekleefd bleef, wist vaak met zijn leven helemaal geen raad. Hij beschermde hem niet tegen de wanhoop over het nutteloze van het bestaan. De *batlan*, leegloper en nietsnut, filosoof en warhoofd, dwaalde rond door het vervallen getto, in vertwijfeling roepend: 'Wie ben ik, wie ben ik?' De engel Azriël antwoordde niet.

De staat was een vijand. De politie, die je beschermen moest, de kozak en de ambtenaar, ja, iedere uniform en iedere glimmende knoop beduidden vervolging. Wij hebben dat later, tijdens de Duitse bezetting opnieuw gekend, toen iedereen, die je ontmoette een vijand was, totdat hij bewezen had een vriend te zijn. In Rusland bewees dat nagenoeg niemand.

Vlucht, vlucht, dat was het enige antwoord. Maar ook wie niet vluchten kon, was daarom niet minder een vluchteling. In een wereld, rijk en ontwikkeld genoeg, om iedereen een nest te bieden, bleef hij vogelvrij. Wanneer je wel vluchten kon, werd de vraag: 'Waar naar toe?' hoe langer hoe klemmender. Het ene land na het andere zette de deur op een kier of sloot hem geheel. Engeland ging voorop. Canada en de Verenigde Staten volgden, zodat de wereld hoe langer hoe kleiner werd. Maar Brazilië, Argentinië en andere staten in Zuid-Amerika bleven nog open.

Amsterdam werd voor de joodse emigratie een belangrijke haven, want de Koninklijke Hollandse Lloyd leidde haar schepen van hier uit naar Rio de Janeiro, Montevideo en Buenos Aires. Week in, week uit, heb ik in mijn schooljaren honderden en duizenden families met hun kinderen en hun povere bagage in het tussendek van die prachtige boten zien hurken. Vaak genoeg heb ik er mijn huiswerk voor laten liggen. Ja, tsaar Nicolaas II heeft me menig onvoldoende op m'n rapport bezorgd. Hoe zou ik geen revolutionair zijn geworden?

Op een goeie dag kwam er een delegatie van een landverhuizersgroep uit Rotterdam bij mijn vader in zijn kantoortje in de Weesperstraat. Jaren achtereen heeft hij daar twee of drie uur per dag doorgebracht, altijd weer dezelfde klachten aangehoord, altijd weer dezelfde raad gegeven, altijd weer een passagebiljet verzorgd. En iedere dag opnieuw kreeg hij van mijn moeder een standje omdat hij te laat aan tafel kwam. In elke stad in de hele wereld, waar joden doorheen trokken, heb je een paar van die mensen gehad. Voortreffelijke mensen, die zich echter verbeeldden, dat ze de wereld kunnen redden door hun goede hart, ook dan, als er beginselen en normen te verdedigen zijn.

De delegatie kwam een thorarol lenen. Hun groep was op weg naar Amerika en het was een paar dagen voor het joodse nieuwjaar. Zij moesten deze 'geweldige dag', zoals hij heet in de liturgie, aan boord doorbrengen, en wilden dit doen, zoals ze dat hadden geleerd en altijd hadden gedaan naar de oude ritus. Maar in Rotterdam hadden deftige, orthodoxe joden hen de thorarol, die zij daartoe nodig hadden, geweigerd, omdat, wie op de feestdag reist, daar ook geen recht op heeft. Bovendien zagen zij ertegen op een thorarol over de oceaan te zenden. Eén had er zelfs op gezinspeeld, dat een schip vergaan kon.

Een klein mannetje met een rood baardje en zijn bekende zwarte emigrantenpet op het hoofd, had geantwoord: *'Und wir?'* Ik heb die twee woorden in later jaren vaak gebruikt, als ik op een vergadering de joden opwekte om in te tekenen voor de staatsleningen van Israël. Als mij naar garanties gevraagd werd, heb ik die episode in herinnering gebracht en gevraagd: 'Und wir? Wij hebben onze kinderen geïnvesteerd. Gij, lieve mensen, kunt uw geld investeren.' Ze deden het en hoe!

Een andere jood uit de delegatie was nog veel verder gegaan. Hij had gezegd: 'Mijne heren, gij zijt allen gelovige en vrome joden. Hoe kan een schip eigenlijk te gronde gaan, als er een thorarol aan boord is?' Maar ook deze vraag heeft weinig indruk gemaakt. Ook ik hoop, dat de brave man zich in Amerika niet op de scheepsassurantiën geworpen heeft.

De mensen hebben hun thorarol in Amsterdam gekregen. Er werd een kist getimmerd van ruw hout, zoals de doodkist, waarin joden begraven worden. Daar werd ze in gelegd. Daarin is ze enige tijd later ook van haar zwerftocht teruggekomen. Op het deksel stond een met potlood geschreven dankbetuiging. Mijn vader had zich voorgenomen die kist te bewaren en te zijner tijd aan te bieden aan het historische museum, dat eens, naar hij vast geloofde, in Jeruzalem zou worden gebouwd. Maar Hitler heeft het verhinderd. De kist is in de Duitse tijd verloren gegaan.

Wie heeft in die dagen verwacht, dat zij die naar Palestina trokken, daar, voor de derde maal in de geschiedenis een staat zouden stichten, en dat zij, die naar Amerika emigreerden, hun financiers zouden worden? Beiden waren zij even arm en even onervaren.

Wij hebben het verwacht. Wij hebben het zelfs zeker geweten. Ik heb er als kind met mijn beide ooms, die toen toch ook nog maar kwajongens waren, over gedebatteerd, hoe het uniform der joodse soldaten eruit moest zien. En het was ons volledig ernst.

In 1908, ik was nog geen 15 jaar, werd er een zionistencongres in het Gebouw voor Kunsten en Wetenschappen in Den Haag gehouden. Mijn ouders zijn er naar toe gegaan en hebben mij meegenomen. Daar zag ik op de Zwarte Weg voor het eerst van mijn leven een joodse vlag en ik wist, dat wij niet droomden. We moesten alleen veertig jaar wachten, veertig bittere jaren en dat wisten we niet.

Een paar jaar geleden werd ik onverwacht opgebeld door een man, die mij in het Engels vroeg of ik Abel heette en of mijn vader diamantmakelaar was geweest. Toen ik dit bevestigde, was een ware vreugdekreet het antwoord: 'Dan zijn we mispoche!'

We werden allemaal te dineren gevraagd in een Amsterdams hotel en daar werd de volgende geschiedenis opgerakeld.

Ruim vijftig of zestig jaar geleden had een verre neef van mijn vader, die naar Amerika was uitgeweken en zijn gezin in Rusland had moeten achterlaten, hem geschreven, dat het hem, God zij dank, gelukt was als schoenmaker werk te vinden en dat hij nu genoeg had overgespaard om zijn oudste zoontje te laten overkomen. Als ze nu met z'n tweeën zouden werken, dan zou geleidelijk ook de rest van de familie kunnen volgen, en zo zouden ze dan in de loop van een aantal jaren weer verenigd zijn. Het zoontje zou over Holland reizen en de vraag was nu, of er voor kon worden gezorgd, dat hij veilig en wel op de boot kwam.

Er volgde wat correspondentie, er werd botje bij botje gelegd en er werd besloten, dat het gestelde ideaal maar direct en ineens in vervulling moest gaan. En zo kwam er dan op een gegeven dag een vrouw op bezoek met liefst zeven kinderen, van wie de oudste een jaar of veertien, de jongste een jaar of drie moest zijn. De meisjes hadden hoofddoekjes om, de jongens droegen kaplaarzen en allen kon je aanzien, dat ze een lange reis achter de rug hadden, beslist niet in de eerste klas.

Ze zijn ongeveer een week bij ons gebleven. Het werd een mooi feest. Stel je voor, de gasten kregen de bedden en wij mochten op de grond slapen! En een spektakel en een gekakel, een vertellen over en weer, dat het geen eind had. Maar 't einde kwam en er kwam ook een bloemrijke brief over een ring met zeven stenen waarmee vrouw en kinderen vergeleken werden, en nog een opgetogen brief en na een lange tijd nog eens een enkele, maar het duurde niet zo lang of de hele zaak was weer vergeten. De neven, die elkaar ook vroeger nauwelijks hadden gekend, voelden blijkbaar niet veel behoefte om de schriftelijke vriendschap voort te zetten. Alleen de overlevering bleef bestaan zowel in Amsterdam als in New York.

De schoenmaker kwam in goede doen, want hij was, zoals zoveel Russische joden, een voortreffelijk vakman, zijn kinderen erfden een beetje geld en een schat aan intellect, de schoenmakerij werd een leerfabriek, de kleinkinderen bouwden haar uit en zo werden de zoon en de kleinzoon van 'Luftmenschen' de vader en de grootvader van miljonairs.

De familie groeide uiteen, maar behield de gewoonte om eenmaal per maand te zamen te komen. En daar vertelde een van de zeven stenen, die het inmiddels ook al tot grootmoeder had gebracht, haar levensgeschiedenis. Amsterdam vormde de clou. Daar was een huis, gelegen aan twee grachten, dicht bij een brug. In dat huis woonde een familie, wier naam ze vergeten was, behalve dan dat er een kleine jongen was, die Abel heette. Ook wist ze nog, dat de vader van dat gezin koopman was in diamant en dat die haar had verteld, dat Abel later nog wel eens advocaat zou worden. In dat huis nu en bij dat gezin had ze een paar onvergetelijke dagen gewoond. 'En als één van jullie,' zei ze tegen haar kinderen en kleinkinderen, 'nog eens in Europa komt, ga dan naar Amsterdam en probeer dat huis te vinden en te weten te komen of Abel nog leeft en advocaat is geworden.'

Zo kwam dan op een zekere dag een rijke Amerikaan met zijn vrouw in een Amsterdams hotel en vroeg aan de portier, die er niet veel van snapte, maar de Amerikanen altijd al rare kerels gevonden had, of hij een advocaat kende, die van zijn voornaam Abel heette. En zo heeft die Abel na tafel die Amerikaan en diens vrouw meegenomen naar de hoek van de Nieuwe Prinsengracht en de Onbekende Gracht en gezegd: 'Look here, here it was.'

Ze hebben daar een tijdje staan kijken. Waarnaar? Er viel niets bijzonders te zien. Maar waarom hebben ze dan zo vergenoegd staan lachen?

Ze waren mensen geworden met een etiket.

IX

Mijn grootvader van moederszijde was een chabadnik, dat wil zeggen een aanhanger van de
Chabad-beweging.

In West-Europa is deze beweging nagenoeg
onbekend. In Rusland, met name in de gouvernementen of provincies, die tot Litouwen en
Wit-Rusland behoorden, was zij nogal verbreid.
Maar ook daar heeft zij nooit meer dan een
minderheid van de bevolking kunnen winnen.
En hoewel Chabad van huis uit een chassidische
beweging is, werd zij in de Oekraïne, Polen en
Galicië, waar de grote meerderheid der joden
uit chassidiem bestond, niet als legitiem erkend.

De beweging bestaat waarschijnlijk in Rusland nog. In elk geval heeft zij zowel in Israël,
als in Amerika thans een, zij het bescheiden,
maar toch sterk levende aanhang. Het ziet er
zelfs naar uit, dat de Chabad-beweging bezig is
zich uit te breiden. Zij doet daar tenminste pogingen toe. In Nederland, waar men dit het
laatst zou hebben verwacht, heeft zich ook een
kleine groep chabadniks gevormd, merkwaardig genoeg, bestaande uit jonge mannen. Een
van de vroegere presidenten van de joodse staat,
Zalman Sjazar, zou, als hij een generatie eerder
geboren was, tot haar aanhangers hebben behoord. Nu beperkte hij zich tot grote bewondering. En hij was de enige niet, die Chabad tot de

belangrijkste geestelijke stromingen rekende, die zich onder de joden hebben voorgedaan. Lees je wat over Chabad geschreven is, dan krijg je de indruk, dat hij daar wel eens gelijk aan hebben kon. Makkelijke lectuur is het intussen niet, zeker niet, als je de nodige scholing mist om door te dringen tot dit, voor mensen uit onze tijd nauwelijks toegankelijke gebied. En die scholing hebben we geen van beiden.

Chabad zelf probeert het ons in de laatste tijd gemakkelijker te maken. De leiding in New York geeft Engelse brochures uit, waarin zijn bedoelingen worden uiteengezet. Zij zegt, dat Chabad een heel eenvoudige zaak is. Zij bewijst het tegendeel.

In ieder geval is Chabad een afzonderlijke vorm van chassidisme en daarover heeft iedereen tegenwoordig, dank zij vooral het werk van Martin Buber, wel het een en ander gehoord. We moeten het dus zoeken in de sfeer der joodse mystiek.

Chassidisme is het best te begrijpen als tegenstelling tot het rabbinistische, het talmudische jodendom, al is het niet ontstaan als reactie daartegen, maar uit autonome bron.

Altijd, (zo vertellen sommige schrijvers ons) altijd, zolang er joden hebben bestaan, zelfs in de verre oudheid, hebben zich rationalistische, legalistische, formalistische tendensen onder het volk voorgedaan, die er op uit waren z'n hele geestelijke leven te persen in minutieus uitgewerkte, dwingende gedragsregels. Wilde men God waarlijk dienen, dan moesten deze iedere dag van minuut tot minuut worden opgevolgd. In de oudheid was het de tempeldienst, die daartoe diende. Altijd echter heeft zich daartegenover het verlangen geldend gemaakt naar de oorspronkelijke religieuze inspiratie, naar het rechtstreekse contact of de directe ontmoeting tussen mens en God. Het chassidisme is een der laatste bewegingen geweest, waarin dit verlangen tot uitdrukking kwam.

Alle respect voor schrijvers en boeken! Maar je moet niet op hen afgaan, als je met je ziel iets proeven wilt van een beweging als het chassidisme. De geleerden brengen alleen kennis over en die, hoe belangrijk ook, verschrompelt tot een korst. Je moet de beweging opzoeken in de levende werkelijkheid. Vraag maar eens aan een oprecht chassied, hij mag nog zo'n eenvoudig man zijn, wat hij eigenlijk wil. Hij zal je het volgende antwoorden:

Neem de thora en lees daarin. Sla bij voorbeeld Deut. 6,5 op. Daar zul je lezen, dat je God moet liefhebben met heel je hart, heel je ziel en heel je vermogen. Of neem Lev. 19, 18 voor je, waar geschreven staat, dat je je naaste liefhebben moet als je zelf. Ook bestaan er voorschriften over de vreugde. In Deut. 11 en 14 wordt bevolen, dat je je moet verheugen, dat iedereen dat moet doen. Als je dat alles leest, dan mag je niet denken: 'Hoe kan een mens liefhebben of vrolijk zijn op commando? Maar nu het geschreven is, zal ik alles doen, wat een mens doet, die liefheeft of die zich verheugt.' Als je zo spreekt, dan volg je het gebod niet op. Je moet niet doen, *alsof* je liefhebt en *alsof* je je verheugt, maar je moet *werkelijk* liefhebben en *werkelijk* blij zijn. Je moet dus tot de liefde en de vreugde zélf doordringen, deze tot eigen bezit maken en je gedrag daardoor laten bezielen. Dat gedrag ligt wel in wetten vast en daaraan valt niet te tornen. Het chassidisme echter is niet een weg naar die wetten, maar naar de bezieling daarvan.

Niet om de slaafse opvolging van de wet en dus ook niet om de studie daarvan, en niet om de geleerdheid is het te doen, maar om de benadering van de alom aanwezige God, die die wet heeft gesteld, om het samenzijn met Hem, om de vreugde daarover en om de exaltatie, die dit met zich meebrengt. Maar hoe moet je dit bereiken? Hier treedt de rebbe of de zaddik op als de helper.

Hij is geen rabbijn (al zijn er wel rabbijnen tevens zaddikiem geweest), geen priester en geen geestelijke. Hij is de centrale figuur in de gemeenschap van de chassidiem. Want chassidisme is een sociale beweging, juister nog: een *volks*beweging. Maar zij is niet tevreden met de vorming van groepen en gemeenten, en het opstellen of het najagen van enig concreet, uiterlijk program ligt niet op haar weg. Wat het chassidisme beoogt, is de versmelting der zielen van de leden der groep tot een werkelijke eenheid, gedragen door een gezamenlijk doorleefde religiositeit. Het is de zaddik, die deze eenheid tot stand brengt. Hij doet dat niet door leerstelligheid of door prediking daarover, ook niet door vermaning, maar door de uitstraling van zijn eigen religieuze ervaringen. Zij hebben zijn persoonlijkheid gevormd, zij zijn in zijn wezen overgegaan. Het feit van zijn aanwezigheid alleen al, van zijn bestaan als de volledige mens, die hij is, oefent een beslissende invloed uit.

Hij beweegt zich te midden der massa, hij neemt volledig deel aan alles, wat haar aangaat, bezielt en ontroert. En zij antwoordt hem. Zij neemt hem op, maakt hem tot een bestanddeel van zich zelf. Er ontstaat een voortdurende wisselwerking tussen de massa en de zaddik, en wel zodanig en zo intensief, dat het chassidisme zonder de zaddik of rebbe ondenkbaar is.

Voor de enkeling is hij de raadsman en de helper op alle gebieden van het leven, de godsdienstige en de profane. Hij is, in oorsprong tenminste, niet de bemiddelaar tussen mens en God, hij tracht alleen het rechtstreekse verkeer van de vrome met God te vergemakkelijken. In uren van twijfel komt hij niet met een waarheid aandragen, die hij de mensen inprent, maar hij helpt hen die waarheid te vinden. Hij eist van niemand, dat hij bidt, hij bemoedigt de chassied zo, dat deze de weg van het gebed in zich zelve vindt. Hij maakt dat gebed in hem los, hij neemt het op in het zijne, opdat zij te zamen omhoog kunnen stijgen. Hij leert de mensen zo te leven, dat zij handelen kunnen en onder alle wederwaardigheden standvastig blijven. Je kunt hierover meer te weten komen door Buber te lezen, bij voorbeeld zijn inleiding tot *Die Erzählungen der Chassidim.*

Het is duidelijk, dat zulk een zaddik een man van een zeer bijzonder gehalte moet zijn. Zulke begenadigde mannen zijn er inderdaad, niet enkel in de beginperiode van het chassidisme, geweest. Maar het is ook duidelijk, dat het niet zo lang duren kon, of tal van rebbes waren dat helemaal niet, zodat allerlei valsheid en hokus-pokus zijn intree deed, waar vroeger oprechtheid had geheerst. Voeg daarbij allerlei objectieve omstandigheden, die samenhingen met de noodpositie, waarin de desbetreffende joodse bevolkingsgroepen verkeerden, en je zult begrijpen, dat het chassidisme vrij spoedig begon te degenereren.

De beweging was van de aanvang aan op heftige tegenstand gestuit. Haar neergang heeft deze alleen maar versterkt. De geleerde rabbijnen en hun rationalistische aanhang grepen iedere buitensporigheid in het leven der chassidiem – of wat zij als zodanig beschouwden – aan om het chassidisme te lijf te gaan. Zij hadden trouwens zijn degeneratie, met al de daaraan verbonden destructieve gevolgen reeds gevreesd, voordat daar enige sprake van was. Zij hebben gemeend symptomen daarvan vanaf de eerste dag te ontdekken. Daarenboven lag de geestelijke ontwrichting, die vroegere mystieke bewegingen hadden teweeggebracht, zoals de Messiaanse beweging van Sabbatai Zwi en die van Jacob Frank, nog vers in het geheugen. Men was bang voor herhaling. Voor het overige zagen natuurlijk alle officiële joodse instanties alleen maar met bitterheid in het hart, dat de leiding der zaken in zeer omvangrijke delen van het Oosteuropese jodendom aan hun handen ontglipte en dat de rebbe in hun plaats de vertrouwensman werd van het volk.

De strijd tussen de chassidiem en hun tegenstanders, die zich *misnagdiem* noemden (dit is het Hebreeuwse woord daarvoor) is, zoals met godsdiensttwisten het geval pleegt te zijn, met ongemene felheid en verbittering, en lang niet altijd op een kieskeurige wijze, gevoerd. Het is te midden daarvan, dat de beweging van de Chabad is ontstaan.

Zijn stichter was rabbi (niet rebbe, want de man was een rabbijn) Schneür Salman van Ladi. Hij schijnt een weergaloos groot talmudgeleerde geweest te zijn, maar is naar het kamp der chassidiem overgegaan en werd zelfs een der meest bekwame en geliefde leerlingen van rabbi Dow Bär, de maggid (prediker) van Mesritsch (gest. 1772), die zelf de voornaamste leerling was van de Baäl Shem Tov, de stichter der chassidische beweging. Al deze namen zijn door de verhalen van Martin Buber in West-Europa bekend geworden.

Misschien heeft Schneür Salman door zijn werk wel beoogd of tenminste gehoopt een brug te slaan tussen de vijandelijke partijen. Als deze opzet heeft bestaan, dan is hij in elk geval volslagen mislukt. Misschien ook heeft hij, onafhankelijk daarvan, tot een eigen religieus systeem willen komen. Hoe dan ook, Chabad is een poging om het rabbinisme en het chassidisme met elkaar te verzoenen, dat wil zeggen de rationalistische en de mystieke elementen in de joodse godsdienst tot een eenheid te versmelten. De religieuze ervaring mocht niet verliezen aan spontaniteit, noch inboeten aan warmte, doch langs de wegen van het intellect tot God worden geleid.

Vandaar ook de naam Chabad. Hij is samengesteld uit de eerste letters van de woorden Chochmah (wijsheid), Bina (verstand), en Daät (kennis of inzicht). Dit zijn de voornaamste geestelijke krachten, die de mens moet gebruiken om God in waarheid te kunnen benaderen. Waarom? Omdat de geheimen van Gods koninkrijk in de vermomming verschijnen der menselijke psyche. Door af te dalen in de diepten van zich zelf, schrijdt de mens derhalve door de wereld in al zijn dimensies. Het is in zich zelf, het is door zelfontleding en zelfkennis, dat hij uiteindelijk ontdekt, dat God 'alles in alles is' en dat er 'niets is, dan Hij'.

Scholem, die dieper dan wie ook is doorgedrongen in de kennis van de joodse mystiek, leert ons in zijn boek *Major Trends in Jewish Mysticism,* dat hier een hoogst merkwaardige mengeling aan de dag treedt: aan de ene kant een geestdriftige aanbidding van God en een pantheïstische interpretatie van het heelal en aan de andere kant een intense bemoeienis met de menselijke geest en al de daarin woelende driften. Ik versta dit aldus, dat Chabad chassidisme is, gefiltreerd door het verstand.

Schneür Salman heeft door zijn systeem wel een belangrijke aanhang verworven, maar een veel grotere en, wat meer zegt, verbitterde tegenstand opgeroepen. Hij onttroonde immers tegelijkertijd de rabbijn zonder religieuze gloed en de rebbe zonder intellectuele controle. De misnagdiem zijn er zelfs in geslaagd, hem op grond van allerlei ongefundeerde denunciaties, tweemaal door de Russische regering te doen gevangennemen. In de chassidische legende omtrent zijn persoon spelen de blijmoedigheid, die hij in zijn gevangenschap heeft bewaard, de melodie, die hij in de kerker heeft gezongen, en de voornaamheid, waarmede hij zijn tegenstanders is tegemoet getreden, een belangrijke rol. Dat hij tweemaal is vrijgesproken, spreekt voor den chabadnik vanzelf.

In het systeem van de Chabad neemt de functie van de rebbe niet weinig af in belang. Ook hier echter is het leven sterker dan de leer. De Chabad kon het, wilde hij een volksbeweging worden en blijven, zonder rebbe niet stellen.

Maar dat hij, op grond van bestaande of verborgen vermogens in allerlei profane zaken wordt gemengd, waarvan hij geen verstand heeft, is voor de chabadnik onaanvaardbaar. Zijn taak blijft intussen nog belangrijk genoeg. Behalve het geestelijk middelpunt, blijft hij de helper, op wie onder alle omstandigheden een beroep kan worden gedaan. Luister maar:

Een landbouwconsulent in Israël, die niet zo lang geleden het dorp van de Chabad daar te lande bezocht, constateerde, dat ze daar grote moeite hadden met het plukken van de ganzen, die ze fokten voor de slacht. Hij wees hun erop, dat er een preparaat in de handel is, waardoor dit plukken vergemakkelijkt wordt, maar dat het moeilijk en slechts ten koste van veel geld en tijd verkrijgbaar is. Hij bood hen daarom de bemiddeling aan van het departement. De chassidiem waren echter, naar zij zeiden, tevreden, als hij de naam van het preparaat op zou schrijven. Hetgeen hij natuurlijk deed.

Veertien dagen later was tot verbazing van de hele afdeling Landbouw het preparaat, waar niemand aan komen kon, in de kibboets in gebruik. De rebbe in New York had ervoor gezorgd, *by airmail*. En zeg nu nog eens, dat de rebbe van de Chabad geen wonderen doet! Hij kan veel meer dan de regering.

Schneür Salman was geen vriend van Napoleon, zodat de chabad-chassidiem de Russische regering tijdens de grote veldtocht van 1812 belangrijke diensten hebben bewezen. Zij hadden daar goede gronden voor. Ten eerste had de raw (zoals hij kortweg wel genoemd werd) voorspeld, dat Napoleon Moskou in zou nemen en vervolgens aan de Russische winter te gronde zou gaan. Belangrijker was, dat de keizer der revolutie de emancipatie der joden zou brengen voor de wet, wat onvermijdelijk zou leiden tot hun assimilatie en afvalligheid. Deze prijs was in die dagen nog veel te hoog om van de verdrukking der tsaren bevrijd te worden.

De leiding van Chabad is na zijn dood door zijn zoon naar Lubawitsch verplaatst. Vandaar dat men de chabadniks ook wel Lubawitzer chassidiem noemt. Tot op onze dagen berust zij in handen van de dynastie van Schneür Salman. Al is zij niet uitsluitend in de mannelijke lijn voortgezet, de naam Schneërsohn is behouden gebleven. Op het ogenblik regeert het zevende geslacht.

Wat er nu ook in de loop der jaren in de wereld veranderd moge zijn, de reuzengestalte van rabbi Schneür Salman is het lichtende voorbeeld voor elke chabadnik gebleven. In ieder geval was dat zo voor de generatie van mijn grootvader. Wanneer je daarbij bedenkt, dat hij, als iedere oprechte chabadnik, de hem opgedragen levenstaak hoogst ernstig opnam, dan ken je de richting, waarin je moet zoeken, als je te weten wilt komen, wat voor soort man hij geweest is.

Ik heb je al verteld, dat ik, als kind, hem gekend heb en vaak bij hem geweest ben. Nadien heb ik, als ieder ander, veel van de godsdienst gezien, joodse en niet-joodse. Ik heb er ook wel eens iets over gelezen. Ik heb sjoelen bezocht, kerken en kathedralen. Ik heb rabbijnen ontmoet, rebbes uit Galicië, dominees en pastoors, ik heb de pracht bewonderd van de religieuze kunst en ben diep onder de indruk gekomen van de luister, waarmede godsdienstige plechtigheden worden gevierd. Ik heb daar alle eerbied voor. Maar als je mij zou vragen: Waar was de godsdienst in zijn zuiverste vorm te vinden, dan zou mijn antwoord zijn: In grootvaders huis. Dáár was ze, de religiositeit, zonder enige opschik of uiterlijkheid. Alleen het strikt onmisbare was aanwezig.

Mijn grootouders woonden op een etage in de Paardenstraat in Amsterdam, nauwelijks een straat, eerder een steeg tussen Amstelstraat en Binnen-Amstel, in een buurt, waarin men alles eerder dan godsdienst pleegt te zoeken. Tegenwoordig tenminste. Destijds was daar, voor zover ik mij herinneren kan, nog geen tingeltangel te vinden.

Hoe zijn zij daar terechtgekomen? Wel, als een chabadnik een huis zoekt, stelt hij andere eisen dan wij. Ten eerste heeft hij een kamer nodig, waarin hij een *klaus* kan inrichten, of een *stiebel*, of een *minjan*, allemaal benamingen voor een eigen klein sjoeltje, waar familieleden en enkele vrienden, in elk geval gelijkgestemden, de intimiteit kunnen vinden voor de uiterste concentratie op de studie en het gebed. Er moet ook een ruimte zijn voor een bibliotheek. Vervolgens moet er gelegenheid zijn om een *soekka* te bouwen, dat is de loofhut voor het Loofhuttenfeest. Als er daarnaast dan nog een kamer is om te eten en te slapen en zo iets als een keuken, dan is aan alle verlangens voldaan en doen alle andere omstandigheden niets hoegenaamd meer ter zake.

De woning van mijn grootouders was voor een chabadnik ideaal. Zij bestond uit twee kamers en een keuken op een eerste etage en achter die keuken het platte zinken dak van een uitgebouwde kamer der parterreverdieping. Verder was er zo iets als een vliering, waar je met een ladder vanuit de gang naar toe moest klauteren. In de achterkamer bevond zich een groot raam, dat uitzicht gaf op een binnenplaatsje en de muren van de belendende huizen. Voor het raam met de rug er naar toe, stond een grote, oude canapé. De zitting was lekker uitgezakt, de zeegrasvulling hing er van onderen uit, de bekleding was van zeildoek, dat hier en daar gescheurd en versleten was. Als ik op de canapé zat, kon ik met mijn armen op de grote vierkante tafel leunen, die daar voor stond. Op de tafel stond de uit Rusland meegebrachte samowar, op de schoorsteen boven de kachel de twee koperen kandelaars voor de sabbat. Een tafelkleed was er niet. Alles had een donkere kleur, niet zwart, niet bruin, niet groen, alleen maar donkere kleurloosheid. Daar zat opzet in. Op vrijdagmiddag en de middag voorafgaande aan de joodse feestdagen, werd er een wit tafelkleed gespreid, dat bleef liggen totdat de sabbat of de feestdagen waren verstreken. Daar werd de tegenstelling mee bereikt tot de profane week. In de linkerhoek van de kamer, aan de muur tegenover het raam, stond een breed, hoogopgemaakt, tweepersoonsbed, met een gebloemde sprei daaroverheen. Verder waren er een rieten armstoel en nog een paar ouderwetse mahoniehouten stoelen, alweer bekleed met zeil. Boven de tafel hing een gaslamp met kralen kap, aan de muur in een zwarte lijst een portret van Mozes Montefiore, de beroemde joodse filantroop van de vorige eeuw. Het portret werd gevormd door een drukwerk van Hebreeuwse lettertjes, te zamen, naar ik meen, de tekst vormende van de thora. En dat was alles. Die kamer werd gebruikt als woon-, eet- en slaapkamer.

De voorkamer was het heiligdom. Ze had drie ramen aan de straatkant, die uitzicht gaven op een chocoladefabriek. Rechts aan de oostelijke muur, was een kast geplaatst met, aan een stang, een witzijden gordijn. Op dat gordijn waren gouden figuren met Hebreeuwse letters geborduurd. In die kast – de heilige arke – bevonden zich een paar thorarollen, waarvan later een enkele, zoals ik je heb verteld, de reis over de oceaan heeft gemaakt. Voor de kast stond een eenvoudige lessenaar en in het midden van de kamer een tafel. Er was niet eens, zoals in sjoel gebruikelijk is, een podium of bimah. Aan de muren stonden een aantal stoelen. De kamer was wit. Het behang was wit, de deuren, de kozijnen en de gordijnen ook. Hier, in deze voorkamer in de Paardenstraat in Amsterdam, woonde de *Schechina*, dat is de goddelijke stralenkrans. Jij mag het betwijfelen. Mijn grootvader wist het beter. In deze kamer, die vijftien of hooguit twintig mensen bevatten kon, werd gebeden en gestudeerd, of zoals dat heette 'gelernt': Thora, Mischnah, Gemara, alles met commentatoren en commentaren op de commentatoren. Maar niet alleen dat. Ook andere heilige boeken, zoals die van de Sohar, en van de Kabbala, en de geschriften bevattende de uitspraken der grote chassidiem, en dan het grote werk van rabbi Schneür Salman zelf, de Tania, wiens eerste deel gewijd is aan de 'gemiddelde mens', dat is de mens, die het midden houdt tussen de volstrekt rechtschapene en de volstrekte misdadiger. Verder natuurlijk de Schulchan Aroech (de 'Gedekte Tafel', hetgeen allegorisch bedoeld is) bevattende een complete verzameling van alles wat geboden en verboden is. Schneür Salman heeft een eigen Schulchan Aroech samengesteld, wat niet veel minder betekende dan voor ons een nieuw Burgerlijk Wetboek. Het typeert hem. Vervolgens de werken der joodse filosofen en godsdienstleraren, Maimonides in de eerste plaats met zijn 'Wegwijzer voor de Dolenden', kortom die hele grenzeloze oceaan van duizenden jaren Hebreeuwse literatuur.

Om al die boeken te krijgen, behoefde mijn grootvader niet naar een bibliotheek te gaan. Ze lagen opgehoopt op de vliering. Kasten of rekken waren er niet te vinden. Vermoedelijk omdat het geld daarvoor ontbrak. Hoe hij aan die honderden boeken gekomen is, weet ik niet. Een deel zal hij uit Rusland hebben meegebracht, maar een deel heeft hij ongetwijfeld hier en daar op veilingen of op de markt gekocht. Daarvoor was altijd nog wel wat geld te vinden. In het uiterste geval kon je het uitsparen op het eten. De boeken waren trouwens niet duur. De tijd, die mijn grootvader in Amsterdam gewoond heeft, was een tijd van uitverkoop van joodse geleerdheid. Men schaamde zich zelfs een jood te zijn. Er woei, zoals men dat noemt, een nieuwe wind.

Maar tot de Paardenstraat was hij nog lang niet doorgedrongen. Het creatieve vermogen van de oude, en telkens vernieuwde religieuze ervaring, boette niet in aan kracht. Die paar chassidiem van Lubawitsch, die min of meer toevallig in Amsterdam waren neergedwarreld, hadden aan een simpel vertrek genoeg om hun ziel op de sabbatmorgen uit te zingen in het lied voor 'God, den Heer aller dingen', waarbij ze de woorden een bijzonder ritme gaven, door deze telkens met een stopwoord te onderbreken als bam, bam, bim, bim, bam. Ze wiegden heen en weer, ze knipten met duim en middelvinger, ze sloegen in de handen. Want niet de tekst alleen, de wijze waarop je hem tot uitdrukking brengt, is voor de chassied van het grootste gewicht. Als ze kwamen aan het gebed: 'Zuiver ons het hart, opdat wij U dienen in waarheid', dan wisten ze daarvoor zulk een indringende melodie te vinden, dat hun hart waarlijk gezuiverd werd en door niets dan waarheid werd bewogen. Of ze konden mijmeren in een suggestief gezang: 'Zie ik ben bereid om het gebod van de daad te vervullen.' Gebod is hetzelfde als plicht en plicht hetzelfde als voorrecht. Ze zongen en herhaalden dat, stil en dan luider en luider, totdat er werkelijk een onvoorwaardelijke bereidheid in hen ontstond om de wil van God te doen. Of één begon er een *dudu* te zingen en de anderen vielen in. Een *dudu*, dat is neuriënd de ruimte aftasten, voor en achter, boven en beneden je, rechts en links, en overal, en overal is God aanwezig, en je bent deel van Hem.

Tijdens en na de eerste wereldoorlog hebben West-Europa en Amerika met deze liederen en nog een hele verzameling meer, kennisgemaakt. Ze waren verrukt. Ze brachten ze zelfs op het podium van de concertzaal en een nieuwe wereld ging voor hen open. Maar dit alles zou niet zijn gebeurd, als Wilhelm II met zijn veldtocht tegen Rusland geen groot belang had gekregen bij de joodse massa's in de grensgebieden, die hij

Dit is de melodie, die R. Schneür Salman volgens de over-
levering in zijn gevangenschap gezongen heeft. Zie blad-
zijden 153 en 163.

bezette. Een ware flirt om hun gunst begon. Daaraan danken wij ook de opvoering van Dybuk door het Jiddische theater in alle steden, waar toneel werd gespeeld, in welk stuk de geest der chassidiem op de planken trad. Gisteren nog was hij naar de donkerste hoeken van het bijgeloof verwezen en plotseling werd hij opgeroepen om voor een artistieke gebeurtenis van de eerste rang te zorgen. Martin Buber heeft er (overigens reeds lang vóór 1914) het zijne toe bijgedragen. Hij trok de *rebbe* een rok in plaats van een kaftan aan, deed hem een schoon frontje voor, knipte zijn baard en zijn slaaplokken een beetje in model, en maakte de culturele salons van het Westen aldus voor hem toegankelijk.

De kinderen en kleinkinderen van de chassidiem moesten niet veel van hun vaders en grootvaders hebben, maar hun gezangen namen zij over. Zo kan het gebeuren, dat je, als je een kibboets in Israël binnenkomt, de moderne tijd hoort zingen met de stem van een vorige eeuw. De melodie is gelijk gebleven en ook in de tekst is niets veranderd. De jeugd is ongelovig geworden, maar wat de vorige geslachten eens bemoedigd heeft, bemoedigt haar opnieuw.

Mijn grootvader kon, als hij alleen was, de melodie van Rav Schneür Salman aanheffen, stilletjes in het begin, zoals dat hoort, fluisterend bijna. Een melodie zonder woorden, die de Rav gezongen had, toen hij in Petersburg gevangen zat. Die wonderlijke treurige en tegelijk zo blijmoedige melodie, waarmee menige chabad-nik, als dat zo uitkwam, ook zijn kleinkinderen in slaap zong.

Het is een oud probleem voor historici en theologen en voor hen niet alleen, hoe het mo-gelijk geweest is, dat een klein, over de wereld verspreid volk, duizenden jaren heeft kunnen standhouden zonder staat of enige andere we-reldlijke macht, bedreigd door de grootste geva-ren, beproefd door vervolging, en dat het toch niet heeft toegegeven aan de verlokking der meest verleidelijke culturen.

Ze waren het weleens moe. Want jodendom betekent een moeilijk levenslot en tegelijk een zware taak. Mijn grootvader heeft wel eens ver-zucht: 'Ik wou, dat mijn grootvader zich had laten dopen, dan had ik dit alles niet te dragen gehad.' Maar wanneer men dan tegen hem zei: 'Reb Aron, waarom laat jij je dan niet dopen, dan zal je kleinzoon het makkelijker hebben,' antwoordde hij: 'Wat mijn grootvader niet voor mij heeft gedaan, zal ik niet voor mijn kleinzoon doen.'

Ook heb ik eens, toen ik met mijn vader op de joodse nieuwjaarsdag uit sjoel kwam, een van die geestige vrome Russische joden ontmoet, die naar mijn vader toeging, hem zijn talliszak en ge-bedenboek aanbood en zei: 'Doe me een plezier, als je toch naar huis gaat, loop dan even om naar de Sinaï en geef den Heilige, geloofd zij Hij, het hele boeltje terug. 't Wordt me te machtig.'

Mijn vader vroeg natuurlijk: 'Waarom doe je dat zelf niet?' 'Ik?' vroeg de man. 'Ik? Ik woon de verkeerde kant uit.'

En zo, met een beetje zelfspot, zijn ze gebleven, die ze waren. Waarom? Waarom?

Als je het antwoord op deze moeilijke vraag begrijpen wilt, als je weten wilt, hoe die standvastigheid er in werkelijkheid heeft uitgezien, dan moet je je in gedachten mijn grootvader voorstellen, tijdens het slotgebed op de Grote Verzoendag, staande te midden van zijn paar chassidiem, evenals zij gekleed in het witte doodskleed, gehuld in de witte gebedsmantel met de zwarte strepen, het witte kapje op het hoofd, een wetsrol met een witzijden omhulsel in de armen, het gelaat bleek en vermoeid door het vasten, bidden en waken gedurende meer dan vierentwintig uur. De schemering is gevallen en de mensen maken zich gereed om de laatste woorden van die dag te spreken, de geloofsbelijdenis: Hoor Israël!

Wanneer die dag voorbij is en mijn grootvader op de passende wijze afscheid van hem heeft genomen, begint hij de loofhut te bouwen op het zinken plat, dat aan zijn woning grenst. Hij maakt de eerste latten vast en pas daarna zet hij zich aan tafel om te eten. Morgen en overmorgen zal hij verder gaan, sparregroen aandragen voor het dak en de muren en deze versieren met een enkele appel of bloem. In die hut zal hij acht dagen wonen, eten en zo mogelijk slapen. De keuken en het trapportaal worden donker, want van de loofhut is gezegd, dat daar meer schaduw moet zijn dan zon. Hij zal er ook de palmtak in neerzetten met de takken van drie soorten struikgewassen, dezelfde waarmee, in de dagen van weleer, de pelgrims optrokken naar de tempel in Jeruzalem. Hij zal er dezelfde psalmen zingen als zij. Die palmtak zal hij na die acht dagen bewaren en drogen om hem in het vuur te stoken, waarmee tegen het paasfeest de matses gebakken worden. Zo zal het hele jaar een vlecht worden van aan God gewijde symbolen.

Ik zou wel willen, dat je je in gedachten mijn grootvader kon voorstellen, zittende in zijn loofhut, dat zinnebeeld van de zwerftocht. Het is avond. De oude, vermoeide en vervolgde man bereidt zich voor om de nauwelijks te omvatten vreugde van het feest te ontvangen, die zijn hart zal gaan doordringen. In het flakkerend licht van enkele kaarsen verzamelen zich zijn gedachten. Hij beleeft de geschiedenis van de woestijntocht, waaraan de loofhut herinnert, hij beleeft haar alsof hij in die tocht zelf is meegetrokken, maar hij beleeft dat niet als een op zich zelf staand feit, maar als een fase in de schepping en in de geschiedenis van het heelal. En hem, hem zelf is daarbij een taak opgedragen. Ze is neergelegd in de adelbrief, die hij ontvangen heeft. Hij heeft mede te werken aan de voleinding van de wereld, zowel door te denken, als door te doen. En dit gebod, dat hem is opgelegd, is niet moeilijk voor hem en niet ver weg. Hij hoort, wat er tot hem gesproken is: 'Het is niet in de hemel, zodat gij zoudt moeten zeggen: Wie zal opstijgen ten hemel, het voor ons halen en het ons doen horen, opdat wij het volbrengen? En het is niet aan de overkant der zee, zodat gij zoudt moeten zeggen: Wie zal oversteken naar de overkant der zee, het voor ons halen en het ons doen horen, opdat wij het volbrengen? Maar dit woord is zeer dicht bij u, in uw mond en in uw hart om het te volbrengen' (Deut. 30, 11-14). En het is alsof een geweldige kosmische verantwoordelijkheid hem aangrijpt en hem dwingt alle krachten van zijn wezen te bundelen en te richten op het doel der volmaking. Dit is wat de chassidiem noemen de 'kawana'.

Op de laatste dag van het Loofhuttenfeest, als de jaarlijkse cyclus van het lezen van de vijf boeken van Mozes beëindigd is, dan zullen zij de thorarollen in de armen nemen, zij zullen ze kussen, zij zullen dansen en zingen:

Laten we ons verheugen, als sterke mannen

Met de vreugde van het beëindigen van de thora.

De kleine kinderen zullen daarbij zijn. Zij krijgen bruidssuikers, want het huwelijksfeest van Israël en de thora wordt gevierd. En terwijl de chassidiem, in de ene arm de thorarol, de andere arm op elkanders schouder, dansen, zullen zij, als de priesterleerlingen van weleer, op de bekkens slaan. Mijn grootmoeder zal hun daartoe de deksels geven van de pannen, natuurlijk niet zonder ervoor te hebben gezorgd, dat die voor vleeskost en melkkost streng uit elkaar worden gehouden. De wereld van zwoegen, de hele wereld van ellende bestaat niet meer. Er is alleen hemelse vreugde.

Als je dit gezien hebt, begrijp je het moeilijk begrijpbare 'waarom'. Dan weet je ook, hoe de mensen eruit hebben gezien, die bereid zijn geweest alles op zich te nemen, wat er ook komen zou, de vervolging, de verachting van de wereld, de brandstapels en de moord op hen en hun gezinnen. Het was de idee, die hen had gevormd en onveranderbaar had gemaakt. En misschien begin je dan nog iets anders te begrijpen: dat religiositeit (wat iets anders is dan godsdienst) geen overtuiging is, maar, naar een zeer vrome jood mij eens heeft uitgelegd, een eigenschap. Zoals muzikaliteit of artisticiteit. En dat, zoals er mensen zijn, die zingen, niet omdat zij dit willen, maar omdat er een stem in hen oprijst, er ook mensen zijn, die geloven, niet uit angst en niet uit hoop op beloning, maar omdat zij krachtens hun wezen niet anders kunnen. Ik zeg niet, dat zij niet bang zijn, noch, dat zij niet rekenen op loon in deze of in de toekomstige wereld na de dood. Maar ook als dit alles weg zou vallen, zijn zij nog dezelfden. Het gebed houdt op een bede te zijn om geluk. Het wordt de weg naar de ontmoeting met God. Als zij zeggen (en een chabadnik zegt dit): God is in mij en God werkt door mij, en mijn eigenschappen zijn een weerspiegeling van hemelse geheimen, dan is dat waar. Dan is dat ook dan waar, als jij zelf helemaal niet aan het bestaan van een God gelooft.

Want het doet er niet toe, of je gelooft en wat je gelooft, het doet er alleen maar toe, wat je bedoelt te zijn.

Mijn grootvader was geen enkeling. Hij was geen *rebbe* en nog veel minder een *zaddik* en had ook niet de ambitie om dat te zijn. Ik weet, dat hij er wel eens behoefte aan gehad heeft, om naar de rebbe van Lubawitsch te reizen en eens met hem uit te praten. Maar Lubawitsch was niet meer te bereiken. Eigenlijk was dat maar goed ook, want de mannen zouden alleen maar ruzie met elkaar gekregen hebben. Mijn grootvader was namelijk een allesbehalve gemakkelijk heer, en liet zich niet zo gauw door een ander imponeren.

In het boek van Josef Schwartzbart 'De laatste der Rechtvaardigen' komt de legende voor, dat er in ieder geslacht altijd 36 volstrekt rechtvaardige mensen bestaan. Misschien is het beter over 'rechtschapen' mensen te spreken. De Hebreeuwse term *zaddik* ziet, geloof ik, niet enkel op rechtvaardigheid. Mijn grootvader geloofde aan deze legende, maar toch in een andere lezing. De echte *zaddik* weet namelijk niet, dat hij tot de 36 behoort. Hij is een anonymus en kan voorkomen in iedere rang of stand. Bij voorkeur zal hij een hoogst onaanzienlijk en ongeletterd man zijn, bij voorbeeld een koetsier of een waterdrager. Van erfelijkheid is bij deze 36 helemaal geen sprake. Ook spreekt de legende in sommige versies erover, dat, als deze 36 tot zonde zouden vervallen, de Messias zal komen, omdat de wereld dan zo ontreddderd is, dat hij niet langer dralen kan, als dit tenminste niet een nog veel dieper betekenis heeft. Niets echter valt de zaddik zo moeilijk, als de zonde.

Neen, mijn grootvader heeft niet tot hen behoord. Hij heeft zich dat ook niet verbeeld. Hij behoorde tot de middelmatigen, voor wie rabbi Schneür Salman geschreven had. Het is dan ook niet om zijn bijzonderheid, dat ik zo lang over hem gesproken heb, maar juist om zijn gewoonheid. Want niet wat er bijzonder is aan een mens, maar wat er gewoon aan hem is, maakt hem belangrijk. Er zijn duizenden en miljoenen mensen als mijn grootvader geweest, joden en niet-joden, en zij zijn er nog. Zij zullen er altijd zijn. Of zij goed of slecht zijn, weet ik niet en eigenlijk is het ook niet dat, wat me interesseert. Zij zijn. Voor wie respect heeft voor wat is, is dit genoeg.

Mijn grootvader is niet alleen een chabadnik geweest, hij was ook een grootvader. Ik zie hem op een keer de kamer binnenkomen, ik denk dat dit op mijn vierde of vijfde verjaardag geweest is. Hij komt een cadeautje brengen: een trommel. Maar hij brengt hem niet mee, verpakt in een stuk papier, hij heeft hem met een touwtje voor zijn buik gebonden. De stokken heeft hij in de hand, hij trommelt en hij straalt van pret.

Het is geen mooie trommel maar een erg goedkope. Hij is van blik en ik had zo graag een echte trommel gehad met een perkamenten trommelvel. Maar ik zeg natuurlijk niets. Ik vind alleen, dat mijn grootvader niet trommelen kan en dat hij in dit opzicht nog heel wat van mij kan leren.

Ik neem hem de trommel af en doe hem voor, hoe je trommelen moet. Hij vindt dat prachtig en straalt opnieuw. Nu zijn we beiden zeer gelukkig. Nu trommelen we om beurten. Nog voel ik de warmte van de trommelstokken, die van zijn handen kwam. En nog ben ik ervan overtuigd, dat mijn grootvader niet voor tamboermajoor in de wieg is gelegd. Mijn moeder komt ons beiden een standje geven vanwege het verschrikkelijke lawaai.

Er was een wereldse kant aan hem. Die was er trouwens ook aan Schneür Salman. Mijn grootvader hield van de opera. Het moet wel een vreemd gezicht zijn geweest de grijze chassied in zijn lange jas en het zwarte kapje op het hoofd op het schellinkje te zien zitten te midden der joodse diamantslijpers, die ook verzot waren op de Italiaanse opera. En als zij in de pauze een kopje koffie of een biertje gingen drinken, dan kan het best gebeurd zijn, dat hij in een hoek ging staan met het gezicht naar het oosten, om het middag- of avondgebed te zeggen met niet minder concentratie dan ooit. Hij was er best toe in staat. Ook hield hij van het circus. Waarom zou trouwens God niet in een dier of in een clown aanwezig zijn? Waarom zou Hij door alles spreken en niet door hen? De vraag is alleen, of je Zijn stem verstaat, of in de taal der chassidiem: 'of je de goddelijke vonk kunt bevrijden uit zijn omhulsel'.

Mijn grootvader werd ziek en men heeft hem naar het Burgerziekenhuis in de Linnaeusstraat gebracht. Dat was heel ver van ons vandaan.

's Woensdagsmiddags, als ik vrij was van school, en zondags mocht ik mee op ziekenbezoek. Er werd dan een rijtuig gehuurd voor één gulden en een dubbeltje fooi voor de koetsier. Als het weer niet al te slecht was, mocht ik naast hem zitten op de bok. Dat was een mooi gezicht, wanneer het paard zijn staart optilde en onder het lopen een paar vijgen liet vallen. Maar binnen in het rijtuig was het ook gezellig. Op de vloer lag een strooien mat en het rook er naar de stal. Je zat op gecapitonneerde kussens en het schommelde heerlijk.

De laatste keer, dat ik met vader en moeder bij mijn grootvader was, moest ik dicht bij zijn bed komen staan. De oude man legde zijn handen op mijn hoofd en heeft mij gezegend. Mijn ouders huilden.

Het is net, of dit moment nooit is voorbijgegaan. Net, of iemand het gefixeerd heeft. Soms komt het mij voor, of die zegening in dat ziekenhuis een onzichtbaar schilderij geworden is, om altijd naar te blijven kijken. Ik ben nu zo oud als mijn grootvader toen geweest is, misschien zelfs wat ouder. Maar ik kan niet aan hem denken, of ik heb het gevoel, dat ik het kind gebleven ben van toen. Nog liggen zijn handen op mijn hoofd, nog trilt zijn mond, nog staren zijn ogen en gaan dan achter zijn oogleden schuil. En nog prevelen zijn lippen de oeroude zegen van de priesters: 'De Heer zegene je en behoede je, Hij late Zijn aangezicht over je schijnen, en Hij zij je genadig. Hij zij bezorgd om je en Hij geve je vrede'.

Er is een zeer verre afstand ontstaan tussen ons en het chassidisme en zelfs tussen ons en de godsdienst in het algemeen. Maar mijn grootvader is er altijd geweest en heeft bij mij gestaan en boven mij. Toen ik trouwde, toen de kinderen geboren werden, toen vader en moeder stierven, toen de kinderen kinderen kregen en ook toen jij geboren bent. Hij is met mij de Duitse kampen ingegaan en heeft mij behoed. En hij is er nu, terwijl ik dit schrijf. Ik heb niet opgehouden een kind te zijn en hij heeft niet opgehouden te zegenen.

En dan te bedenken, dat dit alles, als we consequente mensen waren, niets voor ons had moeten betekenen. We zijn rationalisten geworden. Het rationele is, nebbisch, voor ons irrationeel genoeg.

Mijn vader heeft mij later verteld, wat zijn laatste woorden waren. Hij heeft veel geleden. Hij heeft God geprezen, die de zieken geneest, terwijl hij heeft geweten, dat God hem niet genezen zou. Hij heeft Hem geloofd, 'die de vallenden steunt'. Hij is niet gevallen en heeft ook dat geweten.

Hij heeft op zijn sterfbed ook gesproken over de herrijzing der doden, als de Messias komt. Als iedere vrome jood geloofde hij daaraan, hoewel deze gedachte van vreemde oorsprong is. Hij geloofde ook aan de nog vreemder idee der zielsverhuizing.

Bezorgde chassidiem hebben hun rebbe eens gevraagd: Als de doden ontwaken en de zielen hebben in verschillende mensen gewoond, zullen er dan niet veel te weinig zielen zijn?

De rebbe heeft hen getroost en gezegd: De ziel is een vlam. En zoals een vlam splitsbaar is in een oneindig aantal vlammen, zonder zelf kleiner te worden, zo is de ziel splitsbaar en blijft zich zelf gelijk. Aan elke ziel kan men eindeloos zielen ontsteken. Zo is het ook met de liefde. Het aantal mensen, dat men liefheeft, kan eindeloos groeien en de liefde voor elk van hen wordt er alleen maar groter door.

Kort voor zijn dood hoorde mijn grootvader ook voor het eerst over het zionisme. Hij zei: 'De Messias is dit niet. Maar het is een stap Hem tegemoet.'

Op een dag kwam mijn grootmoeder huilende de kamer binnen. Ik ken die kamer nog, ik weet het tijdstip nog, ik weet precies, waar ik gestaan heb en waar zij. Ik vroeg: 'Is grootvader dood?' Zij knikte. Het was in de sinterklaastijd. We zouden die middag poffertjes gaan eten in de Kalverstraat. Mijn eerste gedachte was: wat jammer, dat dat niet doorgaat. Ik heb mij daar lang over geschaamd. Totdat ik heb begrepen, dat ik, als ik een chabadnik geweest zou zijn, mij niet geschaamd zou hebben. Want de echte chabadnik vergeet de dagelijkse dingen nooit. Voor ons, maar niet voor hem kunnen er banaliteiten bestaan.

Ook dat weet ik van mijn grootvader door mijn vader. Hij vertelde van een rebbe, die de kamer in kwam, waar zijn zoon in diep gebed verzonken was. In de hoek stond een wieg met een huilend kind.

De rebbe vroeg zijn zoon: 'Hoor je niet, dat het kind ligt te huilen?'

De zoon zei: 'Vader ik was in God verzonken.'

Toen zei de rebbe: 'Wie in God verzonken is, ziet zelfs de vlieg, die op de muur kruipt.'

Wanneer mensen als mijn grootvader geweest is, werden aangevallen, waren zij weerloos. Dat siert hen. Als zij in staat waren geweld met geweld te keren, dan zouden zij niet zijn, die zij waren. De weerloosheid was hun beginsel en daarmee hebben zij zich verdedigd.

Dat is geen lijdelijkheid en nog minder lafheid. Alleen zij die zich de moed alleen voor kunnen stellen in zijn ruwe handtastelijkheid, noemen dit zo.

Ik was eens in een gezelschap, waarin het verhaal verteld werd van de kleine Moossie uit de eerste wereldoorlog, die, toen de vijand op de loopgraaf aan kwam stormen, opsprong en hem toeriep: 'Pas op, pas op, hier liggen mensen!' Iedereen lachte om het laffe joodje en niemand viel het in, dat de kleine Moossie eigenlijk de enige ware held in de hele wereldoorlog geweest is.

Ik schaam mij niet over hem. Misschien moeten we er ons over schamen, dat die kleine Moossie helemaal niet bestaan heeft, maar een antisemitische uitvinding is geweest.

Als hij wel heeft bestaan, dan is hij in elk geval veranderd. Daar heeft het zionisme voor gezorgd. De kleine Moossie is een geducht soldaat geworden... in Israël.

Er zijn mensen, wie dit spijt. Er zijn anderen, die daarover juichen. De een zegt, dat Moossie beter, de ander dat hij slechter geworden is. Maar daarover gaat het niet. De vraag is, hoe hij de mensen in zijn loopgraaf het best beschermen kan, als de vijand aan komt stormen.

Maar deze vraag behoort niet meer tot de tijd, waarover ik het hebben zou. En dus schei ik ermee uit. Wees gegroet lieve jongen, van harte. En laat alle anderen weten, dat zij in deze groet en in mijn beste wensen begrepen zijn.